WORLD CUISINE
& CÔTES DU RHÔNE WINES
The perfect match

www.vins-rhone.com

ĒDITO

Les goûts sont des voyages… Et il suffit parfois d'un repas pour partir très loin. C'est pourquoi nous vous invitons à explorer l'Europe, l'Amérique, le Bassin méditerranéen et l'Asie avec 51 recettes faciles venues des quatre coins du monde. Et parce que les plus beaux voyages se font en bonne compagnie, nous vous proposons de leur offrir les plus fidèles complices : les vins de la Vallée du Rhône. De Vienne à Avignon, capitale des Côtes du Rhône, les vignobles courent sur 200 kilomètres, produisant uniquement des vins d'AOC (Appellation d'Origine Contrôlée) et permettant à des crus corsés, moelleux ou légers, rouges comme blancs, de montrer le bout de leur nez. En présence de mets exotiques, chacun d'eux sait comme nul autre faire chanter les épices, sublimer les accords sucrés-salés, révéler les subtilités exotiques… A vos fourneaux, pour orchestrer la miraculeuse rencontre des hamburgers américains, Bo Bun thaï, pasta napolitaine, tajine marocain… avec ces vins joyeux et chaleureux provenant de vignes cultivées entre lavandes, oliviers et vergers, vivifiés par le souffle du mistral et les chauds rayons du soleil.

Sandrine Giacobetti, Directrice de la rédaction ELLE à Table, France.

FROM THE EDITOR

To taste is to travel… and sometimes a meal is enough to take you on a long voyage. So, we invite you to explore Europe, America, the Mediterranean and Asia, with 51 recipes that are always easy to follow and come from the four corners of the world. And, because the best journeys are those made in the best of company, we also bring you the faithfull travel companion, the wines of the Rhone Valley. From Vienne to Avignon, capital of the Côtes du Rhône wines, the vineyards stretch more than 125 miles and produce only AOC classified wines (quality wines), meaning that full-bodied, mellow and light wines, red and white alike, are able to flourish and prosper. In the presence of exotic fare each one of them has the unique ability to make the spices sing, the sweet and sour chords chime, and to reveal all the subtlety of exotic dishes. Starting cooking and bring together American hamburgers, Thai Bo Bun, Neapolitan pasta and Moroccan tajine with these joyous and warm-hearted wines cultivated among lavender fields, olive trees and orchards and brought to life by the breath of the Mistral and the warming rays of the sun.

Sandrine Giacobetti, Editor in chief ELLE à Table, France.

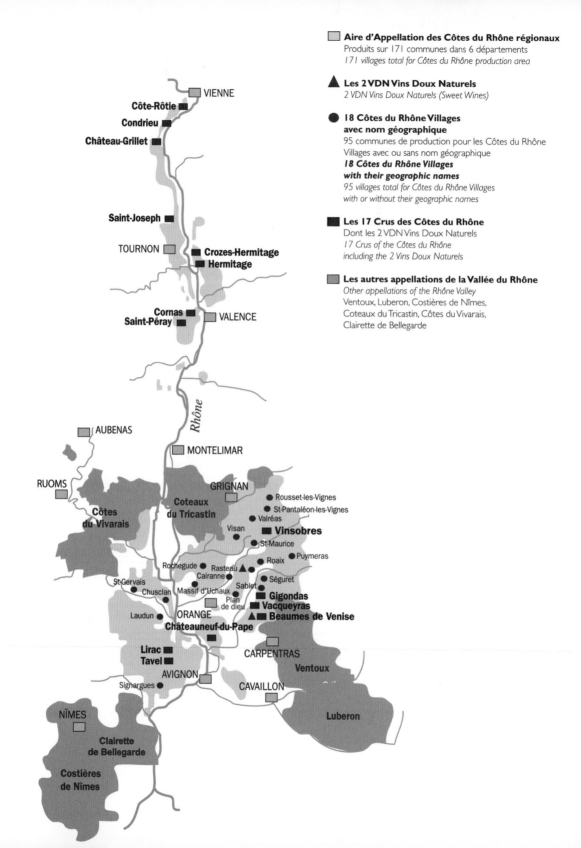

Aire d'Appellation des Côtes du Rhône régionaux
Produits sur 171 communes dans 6 départements
171 villages total for Côtes du Rhône production area

▲ **Les 2 VDN Vins Doux Naturels**
2 VDN Vins Doux Naturels (Sweet Wines)

● **18 Côtes du Rhône Villages**
avec nom géographique
95 communes de production pour les Côtes du Rhône
Villages avec ou sans nom géographique
18 Côtes du Rhône Villages
with their geographic names
95 villages total for Côtes du Rhône Villages
with or without their geographic names

■ **Les 17 Crus des Côtes du Rhône**
Dont les 2 VDN Vins Doux Naturels
17 Crus of the Côtes du Rhône
including the 2 Vins Doux Naturels

■ **Les autres appellations de la Vallée du Rhône**
Other appellations of the Rhône Valley
Ventoux, Luberon, Costières de Nîmes,
Coteaux du Tricastin, Côtes du Vivarais,
Clairette de Bellegarde

VIENNE
Côte-Rôtie
Condrieu
Château-Grillet
Saint-Joseph
TOURNON
Crozes-Hermitage
Hermitage
Cornas
Saint-Péray
VALENCE
Rhône
AUBENAS
MONTELIMAR
RUOMS
GRIGNAN
Coteaux
du Tricastin
Côtes
du Vivarais
Rousset-les-Vignes
St-Pantaléon-les-Vignes
Valréas
Visan
Vinsobres
St-Maurice
Roaix
Puymeras
Rochegude
Rasteau
Cairanne
Séguret
St-Gervais
Sablet
Chusclan
Massif d'Uchaux
Plan
de dieu
Gigondas
Vacqueyras
Laudun
ORANGE
Beaumes de Venise
Châteauneuf-du-Pape
CARPENTRAS
Lirac
Tavel
Ventoux
AVIGNON
Sighargues
CAVAILLON
NÎMES
Clairette
de Bellegarde
Luberon
Costières
de Nîmes

SOMMAIRE

CONTENTS

Vins et merveilles du **Rhône**

© Christophe Grilhe

Wines and wonders
of the **Rhône**

Côtes du Rhône,
le plaisir avant tout

Sur les coteaux ensoleillés de la Vallée du Rhône mûrissent les raisins qui donneront naissance aux vins des Côtes du Rhône. Tout respire la Provence dans ce coin de France préservé et authentique.

DIVINE VALLÉE DU RHÔNE

Dans le sud-est de la France, entre Lyon et Avignon, se déploient les vignobles de la Vallée du Rhône. Au nord, la vigne a colonisé les coteaux escarpés bordant étroitement le fleuve tandis que, au sud, elle prend ses aises et s'étend à perte de vue jusqu'aux contreforts des Alpes et du Massif Central. Elle partage son territoire avec les champs d'oliviers et de lavandes, au cœur d'une Provence authentique qui fleure bon la garrigue. Cet environnement préservé bénéficie, en outre, d'un patrimoine historique exceptionnel : Théâtre Antique d'Orange, Arènes de Nîmes, Pont-du-Gard, Palais des Papes d'Avignon...

LE PARADIS DES GÉOLOGUES

Il y a plusieurs millions d'années, sculptée par de puissants mouvements telluriques, noyée sous des mètres d'eau de mer, creusée et façonnée par le Rhône, la Vallée du Rhône aurait pu devenir un enfer. Mais les lois du paysage en ont fait un paradis où les collines succèdent aux vastes plateaux. Ces terroirs aux sols et aux expositions variés forgent le caractère unique des vins des Côtes du Rhône. Cette riche histoire géologique a donné naissance à de bien belles légendes, comme celle, au Moyen Age, du seigneur de Maugiron qui aurait partagé ses terres à Côte-Rôtie entre ses filles, l'une brune, l'autre blonde. Effectivement, la Côte-Brune possède un sol plutôt sombre à base d'argile et d'oxyde de fer, tandis que le sol de la Côte-Blonde est clair, à base de silice.

UNE LONGUE HISTOIRE VITICOLE

1737, port de Roquemaure. Sur le Rhône, les embarcations se pressent pour charger les précieux tonneaux à destination de Paris, de l'Angleterre et de la Hollande. Tous portent la marque « CDR » gravée à feu, qui atteste que le vin provient bien des célèbres vignobles de la « Côte du Rhône ». Ainsi est né le nom de cette appellation dont la tradition viticole remonte à l'Antiquité. Pline l'Ancien, dans son « Histoire naturelle » (Ier siècle après J.-C.), remarque la qualité des vins produits dans la Vallée du Rhône. Celle-ci n'échappe pas non plus à Thomas Jefferson, futur président des Etats-Unis, qui l'évoque dans ses notes de voyage en Europe, à la fin du XVIIIe siècle.

DES CRUS RENOMMÉS DEPUIS LE XVIIe SIÈCLE

Exposé plein sud, protégé du vent du nord et des gelées de printemps, le coteau de l'Hermitage est déjà réputé au XVIIe siècle. Son vin fait le bonheur de la cour du tsar de Russie, Louis XIV en offre à Charles II, roi d'Angleterre, pour fêter la restauration de la monarchie. Les Côtes du Rhône sont également exportés dans les pays d'Europe du Nord, voyageant sur des bateaux parfois emprisonnés par les glaces durant de longs mois. Comment, enfin, ne pas faire référence au village de Tavel, dont le vin rosé est mentionné dans une transaction datant de l'an 897, et que le roi Philippe le Bel appréciait tout particulièrement.

AVIGNON, CAPITALE DES CÔTES DU RHÔNE

Quel luxe d'avoir pour capitale une cité papale ! Au XIVe siècle, Avignon fut en effet le refuge des papes fuyant l'insécurité de Rome. Là, ils firent construire le plus grand palais gothique d'Europe tandis que leurs cardinaux s'installaient dans de somptueuses demeures. Habitués aux fastes de la cour pontificale, ils firent prospérer les artisans et les commerçants locaux mais furent surtout à l'origine d'un fort développement du vignoble, à commencer par celui de Châteauneuf-du-Pape. Véritable cité médiévale encore entourée de ses remparts, Avignon la méridionale est surnommée la ville sonnante tant est grand le nombre de ses clochers.

UNE RÉGION À FORTE TRADITION PROVENÇALE

Ce n'est pas un hasard si la Provence fait rêver. Certes, elle bénéficie d'un climat ensoleillé mais elle offre surtout une riche culture. Une tradition vivace rythme encore la vie des villages et il n'est pas rare d'assister à une fête puisant ses racines aux premiers temps du Moyen Age. A Visan, par exemple, la fête du vin est célébrée par la confrérie des vignerons depuis 1475. On élit à cette occasion un « roi », une « reine » et un « lieutenant » qui défilent en costume d'époque dans le village, derrière une souche fleurie. Celle-ci est ensuite brûlée selon la coutume au milieu des rondes folkloriques.

Côtes du Rhône,
pleasure above all

On the sunny hillsides of the Rhône Valley ripen the grapes that will produce the wines of the Côtes du Rhône. Everything is redolent of the spirit of Provence in this well preserved and authentic corner of France.

THE DIVINE RHŌNE VALLEY

In the South East of France, between Lyon and Avignon, the vineyards of the Côtes du Rhône unfurl along the Rhône Valley. In the North, the vines cover the steep slopes that closely follow the river, whereas in the South they spread out and stretch as far as the eye can see to the foothills of the Alps and the Massif Central. They share the region with olive trees and lavender, in the heart of the authentic Provence and the aroma of garrigue. This well preserved environment offers, among other things, an exceptional historical heritage: the Antique Theatre in Orange, the Arena in Nîmes, the bridge Pont-du-Gard, the Pope's Palace in Avignon...

A PARADISE FOR GEOLOGISTS

Several million years ago, sculpted by powerful volcanic upheavals, drowned beneath fathoms of sea water, hollowed out and shaped by the river Rhône, the Rhône Valley could have become a hell on earth. But the laws of nature have made it into a paradise where hills succeed vast plateaus. This region, with its varied soils and slopes, forges the unique character of the Côtes du Rhône wines. This rich geological history has given rise to some wonderful legends, such as the one that tells the story of the Lord of Maugiron who, in the Middle Ages, is supposed to have split his lands in Côte-Rôtie between his two daughters, one brunette and the other one blonde. The Côte Brune does indeed have rather dark, clay and iron oxide-based soil, whereas the soil of the Côte Blonde is a light, silica-based color.

A LONG TRADITION OF WINE MAKING

1737, the port of Roquemaure. On the river Rhône, ships hasten to load the precious cargo of barrels destined for Paris, England and the Low Countries. They are all branded with the mark "CDR" that certifies that the wine is indeed from the famous "Côte du Rhône" vineyards. And so was born the name of the appellation, whose wine making tradition dates from Antiquity. Pliny the Elder, in his Natural History (first century AD), notes the quality of the wines produced in the Rhône Valley. Thomas Jefferson, the future President of the United States, praised the same quality as he mentions it in the diary of his travels around Europe, at the end of the 18th century.

VINTAGES RENOWNED SINCE THE 17th CENTURY

South facing, protected from northerly winds and spring frosts, the Hermitage vineyard was already famous in the 12th century. Its wine was the toast of the court of the Russian Czar and Louis XIV made a gift of it to Charles II, King of England, to celebrate the restoration of the Monarchy. Côtes du Rhône wines were also exported to all the countries of Northern Europe, transported on boats that were sometimes held fast for months on end in the ice. Finally, how could we neglect to mention Tavel, whose rosé wine is mentioned in a transaction dating from the year 897 and was particularly appreciated by King Philippe le Bel.

AVIGNON, THE CAPITAL OF THE CÔTES DU RHŌNE

What a luxury having a papal city as a capital ! In the 14th century, Avignon was in fact the refuge of the Popes fleeing the dangers of Rome. Here, they built the largest gothic palace in Europe while their Cardinals lived in sumptuous dwellings. Well used to the splendor of the papal court, they contributed to the prosperity of the local artisans and shopkeepers, but were above all the force behind the strong development of the vineyards, starting with Chateauneuf-du-Pape. A veritable medieval city, still surrounded by its city walls, Avignon, the pearl of the South, is known as the city of bells so great is the number of its steeples.

A REGION WITH A STRONG TRADITION IN PROVENCE

It is no accident that Provence is the stuff of dreams. Clearly, the sunny climate contributes, but it is above all rich in culture. A lively sense of tradition still governs village life and it is not rare to see celebrations whose roots date from the early Middle Ages. In Visan, for example, the wine festival has been celebrated by the winemakers guild since 1475. A "King", a "Queen" and a "Lieutenant" are elected for the occasion and parade through the village in period costume behind a flower decked tree trunk. According to custom the trunk is then burnt while the villagers perform folk dances around it.

La magie
des terroirs rhodaniens

Au fil des siècles, les vignerons ont enrichi leur connaissance des terroirs, cultivant chaque variété de vigne selon le sol et l'ensoleillement. Le climat, sec et venté, leur a permis de mettre en œuvre une viticulture respectueuse de l'environnement.

Gigondas, Vacqueyras, Beaumes de Venise, Châteauneuf-du-Pape, Lirac et Tavel, ainsi que deux vins doux naturels : le Muscat de Beaumes de Venise et le Rasteau. Juste après viennent les Côtes du Rhône Villages. Parmi les plus connus, citons le Cairanne, le Valréas, le Plan de Dieu ou encore le Laudun et le Chusclan. Enfin, les Côtes du Rhône régionaux, accessibles et variés, constituent la clé d'entrée idéale pour découvrir les vins locaux. A côté de cet ensemble majeur, la Vallée du Rhône compte d'autres appellations régionales : Ventoux, Luberon, Coteaux du Tricastin, Costières de Nîmes...

L'ART D'ASSEMBLER LES CÉPAGES

Difficile exercice que celui d'assembler les différentes variétés de raisin, que l'on appelle cépages. Là réside pourtant tout le secret des Côtes du Rhône. Dans les vins rouges, le grenache apporte de la rondeur et du gras, la syrah sa belle couleur et ses arômes de violette. Quant au mourvèdre, il confère au vin de la structure et une bonne aptitude au vieillissement. Et, comme dans toute bonne recette de cuisine, chacun possède son tour de main : quelques touches de carignan, un peu de muscardin... Les vins blancs également sont un subtil assemblage entre la rondeur du grenache blanc, les arômes du viognier ou de la roussanne, la pointe de fraîcheur du picpoul...

VENDANGES DANS LA VALLÉE DU RHÔNE

Dès la fin du mois d'août, les contrôles de maturité du raisin se multiplient dans les exploitations. Un œil sur le ciel, l'autre sur les ceps, le vigneron choisit le moment propice pour débuter les vendanges. Traditionnellement, on proclame le « ban des vendanges » qui confirme que le raisin est prêt à être récolté. Du sud au nord de la Vallée du Rhône, une armada de vendangeurs se met alors en mouvement pour cueillir les grappes et les acheminer vers les caves. Les vendanges dureront jusqu'au début du mois d'octobre dans les secteurs les plus tardifs. Une fois la récolte mise en cave commence le lent travail d'élaboration du vin.

UNE PYRAMIDE QUI TEND VERS L'EXCELLENCE

Il est parfois difficile d'expliquer la qualité d'un terroir. En revanche, on la perçoit avec le degré d'excellence des vins qui y prennent naissance. Au sommet de la hiérarchie des Côtes du Rhône, quinze crus tendent vers la perfection : du nord au sud, Côte-Rôtie, Condrieu, Château-Grillet, Saint-Joseph, Cornas, Saint-Péray, Hermitage, Crozes-Hermitage, Vinsobres,

The magic
of the Rhône soils

During the course of the centuries, the wine makers have enriched their knowledge of the soil, cultivating each variety of vine according to the local soil and the available sunshine. The dry and windy climate has enabled them to practice a style of wine production that respects the environment.

A PYRAMID LEADING TO EXCELLENCE

It is sometimes difficult to explain the quality of a region's soil. However, it is noticeable in the degree of excellence of the wines it produces. At the pinnacle of the pyramid of Côtes du Rhône wines, fifteen come close to perfection: from North to South, Côte-Rôtie, Condrieu, Château-Grillet, Saint-Joseph, Cornas, Saint-Péray, Hermitage, Crozes-Hermitage, Vinsobres, Gigondas, Vacqueyras, Beaumes de Venise, Châteauneuf-du-Pape, Lirac and Tavel, as well as two naturally sweet wines : Muscat from Beaumes de Venise and Rasteau. Just after these come the Côtes du Rhône Villages. Among the better known of these wines, one could mention Cairanne, Valréas, Plan de Dieu or also Laudun and Chusclan. Finally, the regional Côtes du Rhône wines, accessible and varied, constitute the ideal starting point to discovering local wines. Alongside these major names, the Rhône Valley also produces other regional appellations : Ventoux, Luberon, Coteaux du Tricastin, Costières de Nîmes...

THE ART OF BLENDING GRAPE VARIETIES

It is not an easy exercise to blend many grape varieties. Therein, lies the whole secret of Côtes du Rhône wines. In the reds, grenache grapes provide the full body and the roundness, syrah gives the beautiful deep color and the fragrance of violets. As for the mourvèdre varietal, it brings structure and a certain capacity for ageing to the wine. And, as in any good melody, each has a little something special : a touch of the carignan varietal, a drop of muscardin... The whites are also a subtle harmony comprising the full structure of the white grenache, the aromas of the viognier or the roussanne, the delicate freshness of picpoul...

HARVEST TIME IN THE RHÔNE VALLEY

At the end of August, testing for the ripeness of the grapes begins in the vineyards. With one eye on the weather and the other on the vines, the wine grower chooses the right moment to begin the harvest. Traditionally, the "harvest banns" are proclaimed, confirming that the grapes are ready to be picked. From the South to the North of the Rhône Valley, an armada of pickers sets out to harvest the grapes and bring them to the cellars. The harvest will last until early October in the latest areas. Once the harvest is gathered in the cellars, the slow process of wine making can begin.

photos : © Christophe Grilhe

UNE VITICULTURE RESPECTUEUSE DE L'ENVIRONNEMENT

Dotée d'un climat plutôt sec, la Vallée du Rhône est aussi connue pour son mistral, ce vent du nord qui souffle été comme hiver. Sous son influence, les vignerons mettent en œuvre une viticulture respectueuse de l'environnement car il assainit l'air et favorise le mûrissement du raisin au moment de la récolte. Le nombre d'exploitations se convertissant à l'agriculture biologique augmente d'ailleurs chaque année, et ce n'est pas un hasard si le Mont Ventoux est classé « réserve de la biosphère », si le vignoble du Luberon est entièrement inclus dans le Parc naturel régional et si ceux de Côte-Rôtie et des Dentelles de Montmirail postulent au Patrimoine mondial de l'Unesco.

À VOTRE SANTÉ !

Les vins des Côtes du Rhône sont riches en polyphénols, ces composés à l'origine de la couleur rouge. De très sérieuses études scientifiques montrent que, associés à l'alcool et dans le cadre d'une consommation régulière et modérée (un à deux verres par jour), les polyphénols assurent une prévention efficace contre les maladies cardiovasculaires. Par ailleurs, on découvre aujourd'hui que cet effet santé du vin ne se limite pas à ces pathologies mais qu'il contribue aussi à lutter contre le vieillissement, l'obésité, le diabète et la maladie d'Alzheimer.

DES VINS EXPORTÉS DANS PLUS DE 145 PAYS

Deuxième plus grand vignoble d'Appellation d'Origine Contrôlée en France, la Vallée du Rhône fait preuve d'un dynamisme commercial remarquable. Les vins des Côtes du Rhône sont en effet exportés dans plus de 145 pays à travers le monde.

photos : © Christophe Grilhe

WINE PRODUCTION THAT RESPECTS THE ENVIRONMENT

With its rather dry climate, the Rhône Valley is also well known for the Mistral, the Northerly wind that blows in both summer and winter. Thanks to the wind, the wine growers are able to adopt practices that are respectful of the environment, because the wind cleanses the air and helps the grapes to ripen at the time of harvest. In fact, the number of properties converting to organic agriculture is increasing every year. It is no coincidence that the Mont Ventoux is classified as a "biosphere reserve", that the Luberon vineyard is entirely included in the Regional Natural Park and that the vineyards of Côte-Rôtie and Dentelles de Montmirail are candidates for UNESCO World Heritage Sites.

GOOD HEALTH !

The Côtes du Rhône wines are rich in polyphenols, the compounds that are at the origin of the color red. Very serious scienti-fic studies show that, associated with alcohol and if consumed with moderation and on a regular basis (one or two glasses per day), polyphenols provide effective protection against cardio-vascular diseases. Furthermore, it has now been discovered that the health effects of wine are not limited to just these pathologies, but that it also helps to develop resistance to ageing, obesity, diabetes and Alzheimer's disease.

WINES EXPORTED TO MORE THAN 145 COUNTRIES

As the second largest appellation controlee in France, the Rhône Valley enjoys a remarkable commercial track record. Côtes du Rhône wines are exported to more than 145 countries all over the world.

A **table** avec les vins des Côtes du Rhône

Grâce à leur diversité, les vins des Côtes du Rhône peuvent à la fois plaire au plus grand nombre et contenter les palais les plus exigeants. Mais leur immense avantage est de s'accorder facilement avec tous les styles de cuisine.

UN VIN AOC « MADE IN FRANCE »

« Appellation Côtes du Rhône Contrôlée ». Sur chaque bouteille, cette mention indique que le vin provient exclusivement du terroir délimité « Côtes du Rhône » et que sa qualité est soigneusement contrôlée. Concept français par excellence, l'AOC puise sa source dans la longue tradition viticole du pays. Sur l'étiquette, on trouve également d'autres indications utiles comme le nom du domaine qui a élaboré ou mis le vin en bouteille, le degré d'alcool, la contenance…

UNE TRÈS LARGE PALETTE AROMATIQUE

Approchez et sentez ! Les vins rouges des Côtes du Rhône exhalent des arômes de cerise, de cassis, de framboise, une pointe de réglisse et même quelques touches de cannelle. Goûtez et percevez leur côté épicé et un peu poivré. Cette large palette aromatique est particulièrement intense dans leur jeunesse. Sur les Côtes du Rhône Villages et les crus, elle évolue avec le temps vers des arômes de sous-bois et de truffe. Quant aux vins blancs, ils sont réputés pour leurs délicats arômes de fleurs blanches rehaussés d'une pointe de tilleul ou de fruits exotiques. Appréciez, enfin, le délicat bouquet des rosés, savoureux mélange de groseille et de pain grillé… Un délice !

UNE FRAÎCHEUR BIENVENUE

Sans en faire tout un cérémonial, il convient de respecter quelques règles de service pour apprécier pleinement les qualités des vins des Côtes du Rhône. La température est un point important : autour de 13-15 °C pour les vins rouges jeunes et jusqu'à 18 °C pour les autres. Ne pas dépasser 12 °C pour les blancs et les rosés. L'emploi de verres à pied est indispensable pour percevoir l'intensité et la palette des arômes. En revanche, la mise en carafe n'est nécessaire que pour les très grands crus. Dernier conseil : servez plutôt les vins blancs avant les rouges, et les vins jeunes avant les vieux.

© Jean-Claude Amiel

UN ESPRIT « ART DE VIVRE À LA FRANÇAISE »

Convivialité. Tel est le maître mot qui préside à la dégustation des vins des Côtes du Rhône dans un esprit « Art de vivre à la française ». Parfaits compagnons d'un repas entre amis, ils peuvent aussi constituer un apéritif très agréable. Détendez-vous et pensez à ces vers du poète anglais lord Byron : « Le vin console les tristes, rajeunit les vieux, inspire les jeunes et soulage les déprimés du poids de leurs soucis. »

CHAMPIONS DU MONDE !

Dans son « Top 100 » 2007 des meilleurs vins du monde, le magazine américain « Wine Spectator » a classé en tête un Cru des Côtes du Rhône. Mais, d'une façon générale, sur la trentaine de vins français que compte le classement chaque année, les Côtes du Rhône sont toujours bien représentés avec une dizaine de références.

At the table with Côtes du Rhône wines

Thanks to their diversity, the wines of the Côtes du Rhône are able to both please the majority and satisfy the most demanding of palates. Their huge advantage is that they can be easily drunk with any type of cuisine.

AN "AOC" WINE MADE IN FRANCE

"Appellation Côtes du Rhône Contrôlée". On every bottle, this label indicates that the wine comes exclusively from the well defined "Côtes du Rhône" area and that its quality is carefully controlled. The most French of concepts, the AOC system, has its roots in the country's long tradition of wine making. Other useful information is also found on the label, such as the name of the property that has produced or bottled the wine, the alcohol content and the volume...

A VERY BROAD PALETTE OF AROMAS

Step up and smell ! The red Côtes du Rhône wines exude fragrances of cherry, blackcurrant, raspberry, a touch of liquorice and even a hint of cinnamon. Taste and discover their spicy and slightly peppery side. This broad palette of aromas is particularly intense when the wines are young. For the Côtes du Rhône Villages and the high quality wines (crus) it evolves over time into flavors of undergrowth and truffle. As for the whites, they are reputed for their delicate aromas of white flowers enlivened by a touch of lime or tropical fruits. Finally, savor the delicate nose of the rosés, a delicious mixture of white currants and toasted bread... A true delight !

A WELCOME COOLNESS

Without going in for the full ceremonial, some rules do need to be observed in order to fully appreciate the qualities of Côtes du Rhône wines. Temperature is an important point : around 55-60 °F for the young reds and up to 65 °F for the others. Never above 54 °F for the whites and rosés. Glasses with stems are essential to be able to flair the intensity of the palette of aromas. On the other hand, decanting is only necessary for the great vintages. A last piece of advice : serve the whites before the reds, and the young wines before the old.

IN THE SPIRIT OF "ART DE VIVRE À LA FRANÇAISE" *

Conviviality. This is the only word possible when tasting Côtes du Rhône wines in a spirit of "Art de vivre à la française". The perfect accompaniment to a meal with friends, they can also be a very pleasant aperitif. Relax and reflect on these lines penned by Lord Byron, the English poet : "Wine cheers the sad, revives the old, inspires the young, makes weariness forget his toil."

WORLD CHAMPIONS !

In its Top 100 of the best wines in the world for 2007, the American magazine, Wine Spectator, placed a Cru from the Côtes du Rhône at the top of its list. But, more generally, out of the thirty or so French wines included in the list every year, about one third of them are Côtes du Rhône wines.

* The art of living the French way.

© Christophe Grilhé

Evasion en Europe

L'Europe cultive un goût affirmé de la différence, parfaitement adapté à la palette aromatique des vins des Côtes du Rhône. Pour preuve, le risotto italien au vin rouge dégusté à quelques encablures seulement des pissaladières niçoises. Ou encore ce cœur de filet de rumsteck en croûte d'épices qui fait la jonction avec les saveurs sucrées du carré de porc et pommes aux lardons.

Discover Europe

Europe has a distinct preference for the unique way in which Côtes du Rhône wines adapt perfectly to a complete palette of flavors. The case in point is Italian red wine risotto enjoyed no more than a stone's throw from Nice with its pissaladière tart. Or those thick rump steak fillets in a spicy crust along with the sweet taste of the pork loin with apples and diced bacon.

Europe

CARRĒ DE PORC ET POMMES AUX LARDONS

Plat 👑👑👑

Pour 4 personnes

Préparation : 15 mn/Cuisson : 1 h 15 mn

1 petit carré de porc de 4 côtes,
4 belles pommes reine des reinettes,
2 tranches de lard fumé de 1 cm d'épaisseur,
1 beau bouquet de sauge,
60 g de beurre,
sel, poivre du moulin.

● Otez la couenne de la poitrine fumée, puis détaillez-la en lardons. ● Lavez, puis videz les pommes. Lavez, puis séchez la sauge. ● Badigeonnez de beurre le carré, salez-le, poivrez-le et posez-le sur un lit de feuilles de sauge dans un plat à four. ● Disposez autour les pommes évidées. Enfoncez dans chacune 2 feuilles de sauge, 1 noix de beurre et 2 lardons. Posez les lardons restants dans le fond du plat. Enfournez à froid pour 1 h 15 de cuisson, th. 6/180°. ● Arrosez la viande et les pommes avec leur jus plusieurs fois en cours de cuisson. ● Contrairement aux viandes rouges, la cuisson des viandes blanches se commence à four froid. ● Vous pouvez demander à votre boucher de désosser et de rouler le carré de porc en rôti. Dans ce cas, ficelez-le en le couvrant de feuilles de sauge. ● Choisissez de grosses pommes à la peau épaisse (c'est mieux pour les pommes au four) qui cuiront au même rythme que le carré.

L'accord parfait
GIGONDAS ROUGE

Pour répondre à ce carré de porc parfumé à la sauge, rien de tel qu'un gigondas rouge, lui-même issu de terroirs entourés de garrigues. Vin à forte personnalité, ample et puissant, il développe un subtil bouquet d'épices qui épousera les saveurs aigres-douces du plat.
Autre proposition : Côtes du Rhône Villages rouge.

Europe

PORK LOIN WITH APPLES AND DICED BACON

Dish 👑👑👑

For 4 people

Preparation time: 15 mins/Cooking time: 1 $^{1/4}$ hrs

1 small pork loin of 4 chops,
4 big apples,
2 slices of 1/2 inch thick smoked bacon,
1 big bouquet of sage,
2 oz butter,
salt, ground pepper.

● Remove the rind from the bacon, then dice. ● Wash and core the apples. Wash and then dry the sage. ● Brush the pork loin with butter, add salt and pepper and place it on a bed of sage leaves in an oven tray. ● Place the cored apples around it. Stuff each apple with 2 sage leaves, 1 nob of butter and 2 pieces of the diced bacon. Put the rest of the diced bacon in the bottom of the tray. Put the tray into the oven to cook for 1 $^{1/4}$ hrs at 360 F° without preheating. ● Baste the meat and the apples with their own juices as they cook. ● As opposed to red meats, white meats are best cooked in an oven that is not preheated. ● You could ask your butcher to debone and roll the pork loin into a joint for you. In this case, truss it while covering with sage leaves. ● Choose big apples with thick skin (better for baked apples) that will cook at the same rate as the pork loin.

The perfect match
RED GIGONDAS

To accompany this pork loin fragrant with sage, nothing quite like red gigondas, itself originating from vineyards surrounded by garrigue. A wine with a strong personality, big and robust, it delivers a subtle nose of spices that will go wonderfully with the sweet and sour flavors of the dish.
Alternative: red Côtes du Rhône Villages.

Europe

CŒUR DE FILET DE RUMSTECK EN CROÛTE D'ÉPICES

Plat

Pour 4 personnes
Préparation : 5 mn/Cuisson : 6 mn

4 pavés de cœur de filet de rumsteck
1 c. à café de poivres mélangés,
quelques grains de poivre du Sichuan,
1/2 c. à café de graines de coriandre,
1/2 c. à café de cumin en poudre,
1/2 c. de piment en poudre,
30 g de beurre,
huile d'olive,
sel de Guérande.

● Mettez toutes les épices dans le bol d'une petite moulinette électrique. Mixez-les quelques secondes par à-coups jusqu'à ce qu'elles soient grossièrement concassées et répartissez-les sur une assiette. ● Enduisez les faces des pavés d'huile d'olive avec un pinceau ou du bout des doigts. Posez les pavés sur les épices des deux côtés. ● Faites chauffer un morceau de beurre dans une poêle antiadhésive et, dès qu'il est bien chaud, faites cuire les pavés sur feu assez vif 3 mn de chaque côté. Servez aussitôt avec un gratin de pommes de terre.

L'accord parfait
CÔTE-RÔTIE

Viande rouge et Côte-Rôtie... Fabuleux mariage, rouge sur rouge, ton sur ton... Les arômes intenses de ce grand vin de la Vallée du Rhône sauront s'harmoniser avec la croûte d'épices enrobant le rumsteck, tandis que sa puissance amplifiera la tendre saveur de la viande.
Autre proposition : Saint-Joseph rouge.

Europe

THICK RUMP STEAK FILLETS IN A SPICY CRUST

Dish

For 4 people
Preparation time: 5 mins/Cooking time: 6 mins

4 thick rump steak fillets
1 teaspoon of mixed peppers,
a few Szechuan peppercorns,
1/2 teaspoon of coriander seeds,
1/2 teaspoon of ground cumin
1/2 teaspoon of ground chili,
1 oz of butter,
olive oil,
sea salt.

● Put all the spices into the bowl of a small electric mixer. Mix in spurts of a few seconds until they are roughly ground and pour onto a plate. ● Rub the surfaces of the steaks with olive oil using a brush or your finger tips. Place both sides of the steaks in the spices. ● Heat a knob of butter in a non-stick pan and, when nicely hot, cook the steaks over quite a high flame for 3 mins on each side. Serve straight away with a potato gratin.

The perfect match
CÔTE-RÔTIE

Red meat and Côte-Rôtie... A fabulous marriage, red on red, matching tones... The intense aromas of this great Rhône Valley wine will be in pure harmony with the spicy crust enveloping the steak, while its robustness will enhance the tenderness of the savory meat.
Alternative: red Saint-Joseph.

Europe

FARFALLE AUX PETITS LÉGUMES

Plat 👨‍🍳👨‍🍳

Pour 6 personnes

Préparation : 10 mn/Cuisson : 9 mn

300 g de farfalle (papillons),
1 carotte fane, 1 petit oignon blanc,
4 mini-courgettes, 8 tendres asperges vertes,
16 haricots verts, 1 gousse d'ail, 1 branche de basilic,
4 c. à soupe d'huile d'olive,
1 l de bouillon de volaille instantané chaud,
2 c. à soupe de févettes, 2 c. à soupe de petits pois,
2 c. à soupe de pesto, sel, poivre du moulin.

● Lavez et séchez les légumes : pelez la carotte et l'oignon, puis détaillez-les en rondelles d'environ 5 mm d'épaisseur. ● Tranchez les mini-courgettes en rondelles ou en bâtonnets. ● Coupez les pointes d'asperges et taillez la partie tendre en rondelles. ● Equeutez puis coupez en trois les haricots verts. ● Pelez, dégermez et écrasez l'ail. ● Ciselez le basilic. ● Faites chauffer 2 c. à soupe d'huile d'olive dans le Pasta Pot, puis ajoutez l'oignon, l'ail, la carotte, les asperges et les haricots verts. Faites-les revenir doucement 3 mn à couvert. Salez, poivrez et ajoutez les pâtes. Prolongez la cuisson ainsi 3 mn, puis couvrez de bouillon bien chaud. ● Remuez avec la cuillère pour dissoudre les sucs de cuisson et portez à frémissements. ● Faites cuire les pâtes aux légumes 4 mn en les remuant régulièrement et en les couvrant de bouillon au fur et à mesure que celui-ci s'évapore. ● Ajoutez les fèves, les petits pois, les courgettes et poursuivez la cuisson 2 mn. ● Au moment de servir, hors du feu, ajoutez le pesto, le reste d'huile d'olive et le basilic ciselé. Mélangez et régalez-vous aussitôt.

L'accord parfait
CÔTES DU RHÔNE ROUGE

Des pâtes en forme de papillon et des légumes primeurs, ce plat fleure bon le jardin au printemps. Rien de tel qu'un Côtes du Rhône rouge aux parfums de fruits rouges et d'épices pour lui donner de l'ampleur et beaucoup de convivialité. Autre proposition : Saint-Joseph rouge.

Europe

BOW-TIE PASTA WITH FRESH VEGETABLES

Dish 👨‍🍳👨‍🍳

For 6 people

Preparation time: 10 mins/Cooking time: 9 mins

10 oz bow-tie pasta (butterflies),
1 carrot with the top, 1 small scallion,
4 mini-zucchinis, 8 tender green shoots of asparagus,
16 green beans, 1 clove of garlic, 1 sprig of basil,
4 tablespoons of olive oil,
4 cups instant chicken stock,
2 table spoons of dwarf beans, 2 tablespoons of green peas, 2 tablespoons of pesto, salt, ground pepper.

● Wash and dry the vegetables, peel the carrot and the onion, then cut into rings of about 1/4 inch thick. ● Cut the mini-zucchinis into rings or sticks. ● Cut off the asparagus tips and slice into rings. ● Top and tail and cut the green beans into three. ● Peel the garlic, remove shoots and crush. ● Chop the basil. ● Heat up 2 tablespoons of olive oil in the Pasta Pot, then add the onion, the garlic, the carrot, the asparagus and the green beans. Gently fry for 3 mins in the open pan until soft. Add salt and pepper and the pasta. Continue cooking for 3 mins, then cover with the hot chicken stock. ● Stir with a spoon to dissolve the juices and simmer. ● Cook the pasta in the vegetables for 4 mins while frequently stirring and covering with stock as it evaporates. ● Add the beans, the peas, the zucchini and continue to cook for 2 mins. ● Remove from the heat and, just before serving, add the pesto, the rest of the olive oil and the chopped basil. Mix and enjoy immediately.

The perfect match
RED CÔTES DU RHÔNE

With its butterfly shaped pasta and fresh vegetables this dish smells of the garden in springtime. Nothing quite like a Côtes du Rhône with its fragrances of red fruit and spices to give the dish body and lots of festivity.
Alternative: red Saint-Joseph.

Europe

FISH AND CHIPS

Plat 👨‍🍳👨‍🍳👨‍🍳

Pour 4 personnes

Préparation : 20 mn/Cuisson : 30 mn/Repos : 1 h

4 filets de cabillaud de 60 g,
4 filets de saumon de 60 g,
4 morceaux de haddock de 60 g,
1 kg de pommes de terre charlotte,
farine, sel, poivre, huile pour la friture.
<u>Pour la pâte à beignets :</u>
220 g de farine avec levure incorporée, 20 cl de bière blonde ou d'eau gazeuse, 1 œuf, sel.

● Pelez et coupez les pommes de terre en bâtonnets et laissez-les tremper dans de l'eau. ● Mélangez, tout en fouettant, la bière (ou l'eau), avec l'œuf, la farine et 1 pincée de sel, jusqu'à obtenir une pâte homogène. Laissez reposer pendant 1 heure. ● Egouttez les pommes de terre et séchez-les, mettez-les dans l'huile de la friteuse préalablement chauffée à 150° et faites-les frire jusqu'à ce qu'elles soient dorées. Egouttez les frites et réservez-les. ● Faites chauffer la friteuse à 180°. ● Passez les morceaux de poisson dans un peu de farine légèrement salée et poivrée et trempez-les dans la pâte. ● Retirez le poisson de la pâte avec une fourchette, mettez-le doucement dans l'huile bouillante et faites cuire jusqu'à ce que les morceaux soient bien dorés. Sortez le poisson avec une écumoire et égouttez-le sur du papier absorbant. ● Plongez à nouveau les pommes de terre dans la friteuse et faites-les cuire jusqu'à ce qu'elles soient dorées et croustillantes. Servez poisson et frites avec une sauce tartare ou du vinaigre de malt (en vente dans les rayons spécialisés des grandes et moyennes surfaces).

L'accord parfait
CÔTES DU RHÔNE VILLAGES BLANC

Voilà la version « de luxe » du traditionnel fish and chips anglais. Cabillaud, saumon et haddock exigent un vin blanc généreux et raffiné. La rondeur et l'acidité du Côtes du Rhône Villages feront merveille et démultiplieront le plaisir de ce plat convivial.
Autre proposition : Luberon blanc.

Europe

FISH AND CHIPS

Dish 👨‍🍳👨‍🍳👨‍🍳

For 4 people

Preparation time: 20 mins/Cooking time: 30 mins

Standing time : 1 hr

2 oz cod fillets,
2 oz salmon fillets,
2 oz pieces of haddock,
2 lbs potatoes (yellow, gold),
flour, salt, pepper, oil for deep frying.
<u>For the batter:</u>
8 oz of self-raising flour,
1 cup lager or sparkling water, 1 egg, salt.

● Peel and cut the potatoes into fries and leave to soak in water. ● While beating the egg, mix in the beer (or water), the flour and 1 pinch of salt until a smooth mixture is produced. Leave to stand for 1 hour. ● Strain and dry the fries and put them in the preheated 300 F° oil in the deep fry pan and fry until golden brown. Strain the fries and put to one side. ● Heat the deep fry pan to 360°F. ● Roll the pieces of fish in a little lightly salted and peppered flour and soak them in the batter. ● Remove the fish from the batter with a fork, gently place in the boiling oil and cook until the pieces are thoroughly golden. Take the fish out with a skimming ladle and gently dry on kitchen paper. ● Put the fries back in the deep fry pan and cook until golden brown and crispy. Serve the fish and chips with tartar sauce or malt vinegar.

The perfect match
WHITE CÔTES DU RHÔNE VILLAGES

This is the deluxe version of traditional English fish and chips. Cod, salmon and haddock demand a generous white wine. The full-bodiedness and acidity of white Côtes du Rhône Villages are the perfect answer and will only increase the pleasure of tasting this highly merry dish.
Alternative: white Luberon.

Europe

HACHIS PARMENTIER AUX AMANDES GRILLÉES

Plat

Pour 6 personnes

Préparation : 15 mn/Cuisson : 40 mn

1 kg de pommes de terre bintje,
750 g de viande de bœuf cuite en pot-au-feu,
10 à 15 cl de bouillon de pot-au-feu,
2 c. à soupe de persil ciselé,
3 pincées de piment d'Espelette
2 noix de beurre,
2 c. à soupe d'amandes hachées,
sel, poivre.

● Rincez les pommes de terre sous l'eau en les brossant. Mettez-les dans une casserole, couvrez-les d'eau, salez et portez à ébullition. Laissez cuire 20 mn environ, jusqu'à ce qu'elles soient tendres. ● Emiettez la viande entre vos doigts. Ajoutez persil, sel, poivre et piment d'Espelette. Mélangez bien. ● Préchauffez le four th. 6/180°. Lorsque les pommes de terre sont cuites, égouttez-les, pelez-les et passez-les à la moulinette. Incorporez suffisamment de bouillon, en remuant avec une spatule, pour réaliser une purée bien souple. ● Etalez une fine couche de purée dans un plat à gratin beurré de 30 x 22 cm. Parsemez de la moitié des amandes hachées et étalez dessus le hachis de viande. Couvrez du reste de purée. Lissez la surface à la spatule et parsemez du reste d'amandes. ● Glissez le plat au four et laissez cuire 20 mn environ, jusqu'à ce que la surface du hachis soit dorée. ● Servez chaud dans le plat de cuisson.

L'accord parfait
CÔTES DU RHÔNE VILLAGES ROUGE

Merveilleux plat de famille, le hachis parmentier réclame un vin rouge souple et fruité. Le Côtes du Rhône Villages apportera ses arômes, sa fraîcheur et une structure présente mais pas trop marquée pour épouser la texture de la viande hachée et de la purée de pommes de terre.
Autre proposition : Costières de Nîmes rouge.

Europe

HACHIS PARMENTIER WITH GRILLED ALMONDS

Dish

For 6 people

Preparation time : 15 mins/Cooking time : 40 mins

2 lbs potatoes (small to medium sized),
1 1/2 lbs beef cooked chunk (pot-au-feu style),
3-5 fl oz pot-au-feu stock,
2 tablespoons of finely chopped parsley,
2 double spoons of butter,
2 tablespoons of chopped almonds,
salt, pepper.

● Rinse the potatoes in water while brushing. Put them in a pan, cover with water, add salt and pepper and bring to the boil. Allow to cook for about 20 mins until they start to soften. ● Flake the meat in your fingers. Add parsley, salt and pepper. Mix thoroughly. ● Preheat the oven to 360 F°. Once the potatoes are cooked, strain and peel them and mix in the food mixer. Stirring with a spatula, add enough stock to make a creamy purée. ● Spread a thin layer of purée in a buttered gratin dish of 12 x 9 inches. Sprinkle with half the chopped almonds and spread the flaked meat on top. Cover with the rest of the purée. Smooth the surface with a spatula and sprinkle with the rest of the almonds. ● Slide the dish into the oven and allow to cook for about 20 mins until the top of the hachis is golden brown. ● Serve hot in the cooking dish.

The perfect match
RED CÔTES DU RHÔNE VILLAGES

As a great family dish, hachis parmentier requires a smooth and fruity red wine. The Côtes du Rhône Villages will provide the aromas, the freshness and the subtle structure to blend with the texture of the flaked meat and the potato purée.
Alternative: red Costières de Nîmes.

Europe

MOELLEUX AU CHOCOLAT

Dessert

Pour 6 à 8 personnes

Préparation : 10 mn/Cuisson : 25 mn

250 g de chocolat noir,
250 g de beurre + 1 noisette,
6 œufs,
200 g de sucre glace,
80 g de farine,
sucre en poudre.

● Préchauffez le four th. 6/180°. ● Beurrez et tapissez un moule à manqué de papier sulfurisé. ● Cassez le chocolat en morceaux. Faites-le fondre avec de gros cubes de beurre dans le micro-ondes ou au bain-marie. Ensuite, lissez le mélange au fouet. ● Battez les œufs entiers et le sucre glace jusqu'à ce que le mélange mousse et blanchisse. Ajoutez le mélange chocolat et beurre fondus et la farine. Mélangez bien et versez la préparation dans le moule. Saupoudrez un peu de sucre en poudre versé au travers d'une passoire. ● Faites cuire le gâteau 25 mn si vous aimez que le centre soit coulant, ou 30 mn pour une cuisson plus ferme. Sortez-le du four et laissez-le tiédir dans le moule avant de le poser le sur une grille.

L'accord parfait
VIN DOUX NATUREL RASTEAU

Les arômes de cacao du vin doux naturel rasteau rouge répondent à ceux du moelleux au chocolat. Par quel mystère ? Dieu seul le sait. Et lorsqu'on ajoute les notes de fruits secs, d'épices et de réglisse, l'accord devient véritablement divin.
Autre proposition : Côtes du Rhône Villages rouge.

Europe

SOFT CHOCOLATE CAKE

Dessert

For 6 to 8 people

Preparation time : 10 mins/Cooking time : 25 mins

9 oz dark chocolate,
9 oz butter + 1 hazelnut,
6 eggs,
7 oz of confectioner's sugar,
3 oz of flour,
granulated sugar.

● Preheat the oven to 360 F°. ● Butter a deep cake pan and line with baking sheet. ● Break the chocolate into chunks. Melt it with big cubes of butter in the microwave or a double boiler. Then whisk the mixture until smooth. ● Beat the whole eggs and the confectioner's sugar until the mixture is frothy and white. Add the melted chocolate and butter mixture and the flour. Mix thoroughly and pour into the mould. Sprinkle with a little granulated sugar using a sieve. ● Cook the cake for 25 mins if you prefer the center to be runny or for 30 mins for a firmer consistency. Remove from the oven and leave to cool in the mould until lukewarm before turning out onto a cake rack.

The perfect match
RASTEAU VIN DOUX NATUREL

The aromas of cocoa of the naturally sweet red rasteau complement those of the soft chocolate cake. And the secret ? Heaven only knows. And when one adds the notes of dried fruit, spices and liquorice the mixture becomes truly divine.
Alternative: red Côtes du Rhône Villages.

Europe

PAELLA EXPRESS

Plat 👨‍🍳👨‍🍳👨‍🍳

Pour 6 personnes

Préparation : 30 mn/Cuisson : 45 mn

18 langoustines,
200 g de crevettes roses ou calamars surgelés,
200 g de chorizo,
20 moules, 20 coques,
1 gros oignon doux,
2 gousses d'ail,
150 g de petits pois frais,
300 g de riz rond,
15 cl de vin blanc, 1 g de safran en filaments,
huile d'olive, 50 cl de bouillon de poule,
bouquet garni (2 branches de thym et 1 feuille de laurier).

● Pelez et hachez l'oignon et l'ail. Faites chauffer 2 c. à soupe d'huile d'olive dans une grande poêle et faites dorer les langoustines et les crevettes (ou calamars). ● Remplacez-les par le chorizo coupé en rondelles. Réservez le tout au chaud. ● Dans une cocotte, faites ouvrir les moules et les coques avec le bouquet garni et le vin blanc à couvert pendant 5 mn. Retirez du feu, filtrez le jus et mettez les coquillages avec les langoustines, les crevettes et le chorizo. ● Faites chauffer la grande poêle de nouveau avec 2 c. à soupe d'huile et faites revenir l'oignon et l'ail sans laisser dorer. ● Ajoutez le riz, mélangez doucement, assaisonnez, versez le safran et le jus filtré. ● Laissez cuire sur feu doux en ajoutant du bouillon et au fur et à mesure, pour ne pas « noyer » le riz. Lorsqu'il est cuit rectifiez l'assaisonnement, ajoutez les ingrédients réservés au chaud, mélangez et servez dans un grand plat.

L'accord parfait
VACQUEYRAS ROUGE

Le Vacqueyras rouge possède tout le fruité nécessaire pour accompagner le riz et offre assez de matière pour enrober la chair serrée des crustacés. En outre, il possède suffisamment de puissance et de chaleur pour répondre aux assauts du safran. Vraiment, le vin idéal.
Autre proposition : Beaumes de Venise rouge.

Europe

QUICK PAELLA

Dish 👨‍🍳👨‍🍳👨‍🍳

For 6 people

Preparation time : 30 mins/Cooking time : 45 mins

18 jumbo shrimps,
7 oz prawns or frozen squid,
7 oz chorizo,
20 mussels, 20 clams,
1 big sweet onion,
2 cloves of garlic,
5 oz fresh garden peas,
10 oz of round rice,
5 fl oz white wine, a pinch of saffron strands,
2 cups olive oil, chicken stock,
1 bouquet garni (2 sprigs of thyme and 1 bay leaf).

● Peel and chop the onion and the garlic. Heat 2 tablespoons of olive oil in a big fry pan and fry the langoustines and the prawns (or squid) until golden. ● Replace them with the chorizo cut into rings. Set aside everything and keep hot. ● Cook the mussels and the clams in a covered casserole dish with the bouquet garni and the white wine for 5 mins until they open. Remove from the heat, filter the juice and set aside the shellfish with the jumbo shrimps, the prawns and the chorizo. ● Heat up the big fry pan again with 2 tablespoons of oil and fry the onion and the garlic taking care not to let them brown. ● Add the rice, gently mix in, add seasoning and pour in the saffron and the filtered juice. ● Allow to cook over a gentle flame, gradually adding stock so as to not "drown" the rice. When cooked, add seasoning to taste, add back the ingredients you have kept hot, mix and serve in a large dish.

The perfect match
RED VACQUEYRAS

Red Vacqueyras has all the fruit necessary to accompany the rice and has enough body to embrace the firm flesh of the shellfish. In addition, it is robust and hearty enough to take on the saffron. Truly the ideal wine.
Alternative: red Beaumes de Venise.

Europe

QUASI AUX LÉGUMES D'ÉTÉ ET SAUCE « VITELLO TONATO »

Plat

Pour 6 personnes

Préparation : 10 mn/Cuisson : 1 h

1 quasi de veau de 1 kg, 6 oignons nouveaux,
2 gousses d'ail nouveau, 6 tomates bien fermes et mûres,
1/2 poivron rouge, 1 branche de thym,
4 c. à soupe d'huile d'olive, sel, poivre du moulin.
Pour la sauce « vitello tonato » :
140 g de thon à l'huile d'olive, 2 jaunes d'œufs,
3 filets d'anchois à l'huile d'olive, 15 cl d'huile d'olive,
2 c. à soupe de jus de citron,
fleurs de câpres ou câpres au vinaigre.

● Sortez le quasi du réfrigérateur. ● Pelez les oignons nouveaux. Gardez un peu de vert des tiges. Pelez l'ail. ● Lavez les tomates, le poivron et le thym. ● Coupez les tomates en deux et le poivron en dés. ● Placez le quasi dans un plat creux. Posez dessus une demi-tomate, 1 oignon, 1 gousse d'ail, un peu de thym et quelques dés de poivron. Disposez le reste tout autour. ● Arrosez d'huile d'olive, salez et poivrez généreusement, puis enfournez à th. 7/210° pour 1 heure. ● Préparez la sauce. Mixez finement le thon et les anchois égouttés avec 5 cl d'huile d'olive. ● Ensuite ajoutez les jaunes d'œufs, le jus de citron et versez le reste d'huile d'olive en filet, comme pour une mayonnaise. Incorporez les câpres. Réservez au réfrigérateur. ● Arrosez le quasi durant sa cuisson. ● Hachez grossièrement le vert d'oignon. ● Lorsque le quasi est cuit, laissez-le reposer 5 mn, puis servez-le tranché, parsemé de vert d'oignon et accompagné de la sauce.

L'accord parfait
CORNAS

Quel vin choisir pour ce veau aux saveurs marines ? Avec ses puissants arômes d'épices et de chocolat torréfié, le Cornas saura assurément s'imposer. Sans compter sa solide structure tannique qui fera merveille avec la texture de la viande. Autre proposition : Gigondas rouge.

Europe

VEAL LOIN OF SUMMER VEGETABLES AND "VITELLO TONATO" SAUCE

Dish

For 6 people

Preparation time: 10 mins/Cooking time: 1 hr

2 lbs veal loin, 6 spring onions, 2 cloves of new garlic,
6 firm ripe tomatoes,
1/2 red pepper, 1 sprig of thyme,
4 tablespoons of olive oil, salt, ground pepper.
For the "vitello tonato" sauce :
5 oz tuna in olive oil, 2 egg yolks,
3 anchovy fillets in olive oil, 5 fl oz olive oil,
2 tablespoons of lemon juice,
caper flowers or capers in vinegar

● Take the loin out of the fridge. ● Peel the spring onions. Keep a little green from the stalks. Peel the garlic. ● Wash the tomatoes, the pepper and the thyme. ● Cut the tomatoes in half and dice the pepper. ● Place the loin into a broiling dish. Put a half tomato, 1 onion, 1 clove of garlic, a little thyme and a few pieces of the pepper on top. Place the rest around the edges. ● Pour on olive oil, add a generous amount of salt and pepper, then place in the oven at 400 F° for 1 hour. ● Prepare the sauce. Finely mix the strained tuna and the anchovies with 2 fl oz olive oil. ● Then add the egg yolks, the lemon juice and trickle in the rest of the olive oil, as you would for a mayonnaise. Add the capers. Place in the fridge. ● Baste the loin during cooking. ● Roughly chop the green of the onions. ● Once the loin is cooked, leave it to stand for 5 mins, then slice and serve, sprinkled with the green of the onions and accompanied by the sauce.

The perfect match
CORNAS

Which wine to choose to go with sea-flavored veal ? With its robust aromas of spice and roast chocolate, Cornas is the wine for the job. Not to mention its solid tannic structure that goes so wonderfully with the texture of the meat. Alternative: red Gigondas.

Europe

RISOTTO AU VIN ROUGE

Plat

Pour 6 personnes

Préparation : 10 mn/Cuisson : 40 mn

225 g de riz arborio ou canarolli,
1 oignon,
1 gousse d'ail,
1 bouquet garni,
1/2 brin de romarin,
50 cl de vin rouge,
50 cl de bouillon de volaille,
100 g de beurre,
100 g de parmesan frais,
sel, poivre.

● Râpez le parmesan. ● Dans une casserole, faites chauffer le bouillon. ● Dans une grande sauteuse, faites revenir sur feu moyen l'oignon et l'ail pelés et émincés dans 50 g de beurre, sans les laisser brunir. ● Ajoutez le bouquet garni et le romarin. Remuez et versez le riz. Mélangez bien pour enrober le riz de beurre. Versez la moitié du vin rouge. Augmentez le feu légèrement et ajoutez une louche de bouillon chaud. Remuez sans cesse pour que le riz n'attache pas. Lorsque le riz a absorbé le liquide, versez une nouvelle louche de bouillon. Ajoutez le vin restant, remuez toujours jusqu'à ce qu'il soit absorbé, continuez ensuite avec le bouillon. Le riz doit être cuit mais encore légèrement ferme. ● Rectifiez l'assaisonnement en sel. Poivrez. ● Ajoutez le beurre restant et la moitié du parmesan. Mélangez, couvrez 1 mn. Servez avec le reste de parmesan à part.

L'accord parfait
SAINT-JOSEPH ROUGE

Cuisiné au vin rouge, ce risotto exige, bien sûr, un vin de même couleur. Pourquoi pas un Saint-Joseph dont les arômes de framboise et de réglisse ajouteront une touche de légèreté à ce plat qui fleure bon l'Italie ? Serait-ce le mariage idéal ? Autre proposition : Crozes-Hermitage rouge.

Europe

RED WINE RISOTTO

Dish

For 6 people

Preparation time: 10 mins/Cooking time: 40 mins

8 oz arborio or canarolli rice,
1 onion, 1 clove of garlic,
1 bouquet garni (thyme, basil, parsley),
1/2 sprig of rosemary, salt, pepper,
2 cups red wine,
2 cups chicken stock,
$3^{1/2}$ oz butter,
$3^{1/2}$ oz fresh parmesan,
salt, pepper.

● Grate the parmesan. ● Heat the stock in a pan. ● Use a big fry pan to fry the peeled and chopped onion and garlic over a medium flame in 2 oz of butter, without letting them brown. ● Add the bouquet garni and the rosemary. Stir and pour in the rice. Mix thoroughly to coat the rice in butter. Pour in half the red wine. Turn the heat up slightly and add a ladle of hot stock. Stir continuously to avoid the rice sticking to the pan. Once the rice has absorbed the liquid, pour in another ladle of stock. Add the remaining wine, keep stirring until it is absorbed, then continue with the stock. The rice must be cooked but still a little firm. ● Add salt to taste. Add pepper. ● Add the remaining butter and half the parmesan. Mix, cover 1 min. Serve with the rest of the parmesan on the side.

The perfect match
RED SAINT-JOSEPH

Cooked in red wine, this risotto of course needs a wine of the same color. Why not a Saint-Joseph whose aromas of raspberry and liquorice will add a refreshing touch to this dish that transports us to Italy ? Could this be the perfect marriage ? Alternative: red Crozes-Hermitage.

Europe

SALADE DE SAUMON GRILLĒ

Plat

Pour 6 personnes

Préparation : 10 mn/Cuisson : 8 mn

Repos : 30 mn

1 filet de saumon de 700 g sans arêtes avec la peau,
500 g de pousses d'épinards et de pourpier,
piment d'Espelette,
huile d'olive, sel, poivre du moulin.
<u>Pour la sauce :</u>
4 c. à soupe d'huile d'olive,
1 c. à café de vinaigre de xérès,
le jus de 1/2 citron et de 1/2 orange,
1 gousse d'ail pressée, poivre du moulin.

● Faites chauffer le four th. 8/240°. Posez le saumon côté chair dans un plat tapissé d'une feuille d'aluminium et arrosez-le d'un filet d'huile d'olive. Salez, poivrez la peau et saupoudrez-la d'un peu de piment. ● Faites cuire le saumon 4 mn dans la partie haute du four (mais pas juste sous le gril), puis mettez en position gril et poursuivez la cuisson 4 mn. ● Retirez le poisson du four et laissez-le tiédir. ● Lavez les salades. Essorez-les délicatement et réunissez-les dans un saladier. ● Mettez tous les ingrédients de la sauce dans un bocal vide avec 2 c. à soupe d'eau. Fermez le couvercle et secouez vivement jusqu'à ce que la sauce soit bien émulsionnée. ● Versez-la sur la salade, remuez doucement, puis répartissez-la dans des assiettes. ● Disposez dessus le saumon découpé en morceaux et servez.

L'accord parfait
SAINT-PĒRAY

Si la vivacité du Saint-Péray s'accordera parfaitement avec l'huile d'olive et l'ail de la salade d'épinards et de pourpier, ses arômes de fleurs et sa belle texture sauront mettre en valeur la chair du saumon grillé. Un délice !
Autre proposition : Côtes du Rhône Villages blanc.

Europe

GRILLED SALMON SALAD

Dish

For 6 people

Preparation time: 10 mins/Cooking time: 8 mins

Standing time: 30 mins

1 boned 1¹ᐟ² lb salmon fillet with the skin on,
1 lb spinach shoots and purslane,
olive oil, salt, ground pepper.
<u>For the sauce :</u>
4 tablespoons of olive oil,
1 teaspoon of sherry vinegar,
the juice of a 1/2 lemon and 1/2 orange,
1 crushed clove of garlic, ground pepper.

● Heat the oven to 460 F°. Place the salmon skin up in a cooking tray lined with aluminum foil and drizzle with olive oil. Salt and pepper the skin. ● Cook the salmon for 4 mins in the top of the oven (but not just under the grill), then switch on the grill and continue cooking for 4 mins. ● Take the fish out of the oven and allow to cool until lukewarm. ● Wash the salad, carefully spin and place in a salad bowl. ● Put all the ingredients for the sauce in an empty jar with 2 table spoons of water. Close the lid and shake vigorously until the sauce is thoroughly mixed. ● Pour it onto the salad, lightly toss and serve in the plates. ● Cut the salmon into portions, place on top and serve.

The perfect match
SAINT-PĒRAY

The vivacity of the Saint-Péray is as much the perfect accompaniment to the olive oil and the garlic in the spinach and purslane salad, as its aromas of flowers and its beautiful texture will bring out the best in the grilled salmon. A delight !
Alternative: white Côtes du Rhône Villages.

Europe

STOEMP

Plat 👨‍🍳👨‍🍳

Pour 4 personnes

Préparation : 25 mn/Cuisson : 45 mn

300 g de chicons (endives),
200 g de carottes de sable,
300 g de pommes de terre type bintje,
25 cl de crème fraîche,
1 poireau, 1 oignon blanc émincé,
1 gousse d'ail,
1 l de bouillon de légumes (avec 2 cubes),
80 g de beurre, 1 c. à soupe de graisse d'oie,
4 chipolatas,
2 tranches de très bon lard fumé
de 1 cm d'épaisseur découenné,
6 brins de ciboulette,
2 brins de thym,
2 feuilles de laurier.

● Coupez le lard en deux, mettez-le dans une casserole, couvrez-le d'eau froide, portez à ébullition 1 mn, égouttez. ● Pelez les pommes de terre et les carottes et coupez-les en petits dés. Faites-les revenir dans une cocotte avec la graisse d'oie, l'oignon et le poireau émincés et la gousse d'ail écrasée. ● Lavez les endives rapidement et ajoutez-les avec le thym et le laurier, mélangez et faites suer 10 mn à couvert sur feu moyen. ● Versez le bouillon, portez à ébullition, puis laissez cuire à découvert 25 mn. ● Faites dorer le lard et les saucisses sur un gril très chaud sans matière grasse. ● Egouttez les légumes, ôtez le thym et le laurier, écrasez grossièrement en purée avec 20 g de crème et le beurre, salez, poivrez. ● Déposez la purée dans un plat, versez la crème restante, ajoutez le lard et les saucisses, parsemez de ciboulette ciselée et servez.

L'accord parfait
LIRAC ROUGE

Mélange de légumes et de pommes de terre, stoemp se traduit par « purée » en bruxellois. Un plat savoureux qui trouvera son bonheur avec un rouge tout en rondeur comme le Lirac. Ses notes de fruits et d'épices feront merveille tandis que ses tanins soyeux apporteront élégance et raffinement. Autre proposition : Saint-Joseph rouge.

Europe

STOEMP

Dish 👨‍🍳👨‍🍳

For 4 people

Preparation time: 25 mins/Cooking time: 45 mins

10 oz chicory (French endive),
10 oz potatoes (small to medium sized),
7 oz sand carrots,
1 spring onion, 1 thinly sliced leek,
1 clove of garlic,
4 cups vegetable stock (with 2 cubes),
1 table spoon of goose fat, 1 cup crème fraîche,
3 oz butter, 2 rashers of good quality 1/2 inch thick smoky bacon with the rind removed,
4 chipolata sausages,
6 sprigs of chives,
2 sprigs of thyme,
2 bay leaves.

● Cut the bacon in half and place in a cook pot, cover with cold water and bring to the boil for 1 min, then drain. ● Peel the potatoes and the carrots and dice them. Fry in a casserole dish with the goose fat, the thinly sliced onion and leek and the crushed clove of garlic. ● Lightly rinse the chicory, cut into sections and add in along with the thyme and the bay leaf, stir, cover and leave to sweat for 10 mins over a medium flame. ● Pour in the stock, bring to the boil and leave to cook uncovered for 25 mins. ● Without adding any fat, grill the bacon and the chipolatas on a very hot grill until brown. ● Drain the vegetables, remove the thyme and the bay leaf and coarsely mash into a purée with 7 fl oz of the crème fraîche and the butter. Add salt and pepper. ● Serve the purée in a dish, pour on the remaining crème fraîche, add the bacon and the sausages and sprinkle with chopped chives.

The perfect match
RED LIRAC

Made from a mixture of vegetables and potatoes, stoemp means "purée" in Brussels dialect. A tasty dish that is happy with a full bodied red such as Lirac. Its notes of fruits and spices will make a wonderful accompaniment while its silky tannins will provide elegance and refinement. Alternative: red Saint-Joseph.

Europe

TARTE AU POULET, POIREAUX, GINGÉMBRE

Plat 👨‍🍳👨‍🍳👨‍🍳

Pour 6 personnes

Préparation : 20 mn/Cuisson : 1 h 15/Repos : 2 h

6 cuisses de poulet sans peau et désossées,
1 gros morceau de gingembre, 2 gousses d'ail,
2 oignons, 1 filet d'huile d'olive, 8 c. à soupe de sauce
soja japonaise, sel, poivre, 1 c. à café de quatre-épices,
1 petit piment rouge, 40 g de beurre, 4 poireaux, 1 œuf.
Pour la pâte :
250 g de farine, 150 g de beurre,
1 c. à café de sucre, sel, 1 œuf, 6 c. à soupe de lait.

● Coupez le poulet en dés. ● Préparez la pâte : dans le bol d'un robot, mettez la farine, le beurre en morceaux, le sucre et 2 pincées de sel, puis mixez jusqu'à ce que le mélange soit sableux. Ajoutez l'œuf et le lait, et mixez par à-coups jusqu'à ce que la pâte se mette en boule. Enveloppez de film alimentaire, réservez au frais. ● Mettez le poulet dans une jatte avec le gingembre pelé et râpé, l'ail et les oignons émincés. Arrosez d'huile d'olive et de sauce soja. Salez, poivrez et ajoutez épices et piment. ● Faites chauffer le beurre dans une poêle et faites revenir l'ensemble à feu moyen. ● Lavez les poireaux, coupez-les en rondelles et ajoutez-les dans la poêle. Remuez sur feu plus vif, puis laissez reposer. ● Préchauffez le four th. 6/180°. Beurrez 6 ramequins. Etalez la pâte sur un plan fariné et découpez 6 cercles avec un bol retourné. ● Répartissez le mélange au poulet dans les ramequins. Versez 1 verre d'eau bouillante dans la poêle, récupérez le jus et versez-le sur le poulet. Mouillez le bord des ramequins, posez la pâte et appuyez pour la faire adhérer. Faites une cheminée, badigeonnez la surface avec l'œuf battu et mettez au four 40 mn.

🍾 L'accord parfait
CROZES-HERMITAGE ROUGE

Pour ce classique de la cuisine anglaise revisité par des condiments et des épices, il faut un vin rouge de caractère. Les notes de réglisse et de violette du Crozes-Hermitage seront parfaites, tandis que sa belle structure fera merveille en s'imposant face au gingembre. Détonnant !
Autre proposition : Vacqueyras rouge.

Europe

CHICKEN, LEEK AND GINGER PIE

Dish 👨‍🍳👨‍🍳👨‍🍳

For 6 people

Preparation time: 20 mins/Cooking time: 1¼hrs
Standing time: 2 hrs

6 boned and skinned chicken legs,
1 large piece of ginger root, 2 cloves of garlic,
2 onions, 1 trickle of olive oil, 8 tablespoons of Japanese
soy sauce, salt, pepper, 1 teaspoon of four-spices,
1 small red chili pepper, 1½ oz butter, 4 leeks, 1 egg.
For the pastry:
9 oz flour, 5 oz butter,
1 teaspoon of sugar, salt, 1 egg, 6 tablespoons of milk.

● Dice the chicken. ● Prepare the pastry: put the flour, the butter in lumps, the sugar and 2 pinches of salt into the mixer and mix until grainy. Add the egg and the milk and mix in spurts until the dough starts to form a ball. Wrap in food grade film, leave to stand in a cool place. ● Place the chicken in a bowl with the peeled and grated ginger and the finely chopped garlic and onions. Pour on olive oil and soy sauce. Add salt and pepper and the spices and chili. ● Heat the butter in a pan and fry all the contents of the bowl over a medium flame. ● Wash the leeks, cut into rings and add them into the pan. Stir over a higher flame and then allow to stand. ● Preheat the oven to 360 F°. Butter 6 small pie moulds. Spread the pastry on a floured surface and cut 6 circles with an upturned bowl. ● Apportion the chicken preparation in the pie moulds. Pour 1 glass of boiling water into the pan, take the juice and pour onto the chicken. Wet the edges of the moulds, place the pastry and press firmly to make it stick. Pinch a hole in the top, brush the pastry top with the beaten egg and put in the oven for 40 mins.

🍾 The perfect match
RED CROZES-HERMITAGE

For this classic English dish, reworked with condiments and spices, a red wine with plenty of character is the answer. The notes of liquorice and violets of the Crozes-Hermitage are just the thing, while its beautiful structure does a marvelous job of standing up to the ginger. Mind blowing !
Alternative: red Vacqueyras.

Europe

TARTE FAÇON PISSALADIÈRE

Plat

Pour 6 personnes

Préparation : 15 mn/Cuisson : 40 mn

1 pâte brisée,
2 bottes d'oignons frais avec la tige,
6 tomates parfumées,
40 g de beurre,
2 c. à soupe d'huile d'olive,
piment de Cayenne,
4 brins de thym,
poivre du moulin.

● Pelez les oignons en gardant un peu de tige, puis émincez-les. Faites-les cuire doucement à la poêle dans un mélange beurre-huile d'olive pendant 10 mn.
● Allumez le four th. 6/180°. Tapissez la plaque du four de papier sulfurisé et posez la pâte étalée dessus. Piquez-la de plusieurs coups de fourchette et mettez les oignons dessus. ● Lavez les tomates, séchez-les et coupez-les en rondelles. Répartissez-les sur les oignons. Salez, poivrez et saupoudrez d'un peu de piment de Cayenne. Parsemez de thym, arrosez d'un mince filet d'huile et faites cuire dans le four pendant 25 mn environ.

L'accord parfait LUBERON ROSÉ

Cette pizza à la niçoise a l'accent du Midi. Comment s'étonner qu'un rosé soit l'heureux élu de son cœur ? Né dans le Luberon, ses arômes sauront s'accorder avec le fruité des olives et sa belle structure accompagner les tendres oignons fondus. Du plaisir en perspective...
Autre proposition : Côtes du Rhône rosé.

Europe

LIKE A PISSALADIÈRE TART

Dish

For 6 people

Preparation time: 15 mins/Cooking time: 40 mins

1 pie dough,
2 bunches of scallions with the stalks,
6 fragrant tomatoes,
$1^{1/2}$ oz butter,
2 tablespoons of olive oil,
Cayenne pepper,
4 sprigs of thyme,
ground pepper.

● Peel the onions keeping a little bit of stalk, then finely chop. Cook them slowly in a fry pan in a butter and olive oil mixture for 10 mins. ● Preheat the oven 360 F°. Cover the oven tray with baking sheet and place the rolled pastry on it. Prick several times with a fork and put the onions on top. ● Wash the tomatoes, dry them and cut into slices. Spread the tomatoes over the onions. Add salt and pepper and sprinkle with a little Cayenne pepper. Sprinkle with thyme, drizzle on a little olive oil and cook in the oven for about 25 mins.

The perfect match LUBERON ROSÉ

This Nice style pizza has a strong Southern accent. Not surprising then that its chosen one is a rosé. Born in the Luberon region, its aromas go well with the fruitiness of the olives and its beautiful structure accompanies the tender, sweated onions. Something to look forward to...
Alternative: Côtes du Rhône rosé.

Europe

VELOUTĒ DE CHOU VERT ET COQUILLES SAINT-JACQUES AU SEL FUMĒ

Entrée 👨‍🍳👨‍🍳👨‍🍳

Pour 4 personnes

Préparation : 15 mn/Cuisson : 50 mn

1/2 chou vert frisé, 2 pommes de terre bintje,
1 filet de maquereau fumé au poivre,
10 cl de lait, 1 gousse d'ail,
1 l de bouillon de légumes,
100 g de salades mélangées,
8 noix de Saint-Jacques crues, sel fumé,
15 cl de crème fraîche épaisse,
1 petit bocal d'œufs de saumon,
8 brins d'aneth,
sel, poivre, huile d'olive.

● Faites cuire les pommes de terre à l'eau bouillante salée 20 mn. ● Faites tiédir le lait avec l'ail écrasé. ● Pelez les pommes de terre et écrasez-les à l'aide d'une fourchette avec la chair du maquereau effeuillée. ● Versez le lait, salez, poivrez et mélangez bien. Arrosez d'un filet d'huile. Réservez la brandade au chaud. ● Faites blanchir le chou 10 mn dans de l'eau bouillante, rincez, découpez-le en fines lamelles puis mettez-les dans une casserole avec le bouillon, salez et poivrez, portez à ébullition et comptez 20 mn de cuisson. Mixez le velouté, filtrez et réservez. ● Lavez la salade et essorez-la. ● Faites chauffer un gril sur feu vif, et mettez-y les noix de Saint-Jacques 1 mn de chaque côté, saupoudrez de sel fumé. ● Versez le velouté dans des assiettes creuses, répartissez la brandade, quelques feuilles de salade et les saint-jacques coupées en deux dans l'épaisseur. Déposez 1 c. à café de crème, 1 c. à café d'œufs de saumon et un peu d'aneth par-dessus. Servez aussitôt.

L'accord parfait HERMITAGE BLANC

Elégance et rusticité marquent cette recette imaginative. Elle devrait trouver son bonheur dans l'Hermitage blanc, dont la complexité aromatique s'accordera avec la finesse des coquilles Saint-Jacques. Sa rondeur saura également se marier avec le velouté de chou.
Autre proposition : Lirac blanc.

Europe

CREAM OF GREEN CABBAGE AND SCALLOPS WITH SMOKED SALT

Starter 👨‍🍳👨‍🍳👨‍🍳

For 4 people

Preparation time: 15 mins/Cooking time: 50 mins

1/2 green cabbage, 2 potatoes (small to medium sized),
1 smoked, peppered mackerel fillet,
3 fl oz milk, 1 clove of garlic,
4 cups vegetable stock,
$3^{1/2}$ oz mixed lettuce,
8 raw scallop hearts, smoked salt,
5 fl oz thick crème fraîche,
1 small jar of salmon eggs,
8 sprigs of dill,
salt, pepper, olive oil.

● Cook the potatoes in salted boiling water for 20 mins. ● Heat the milk with the crushed garlic until lukewarm. ● Use a fork to mash the flaked flesh of the mackerel with the peeled potatoes. ● Pour in the milk, add salt and pepper and mix well. Drizzle with oil. Put the mash to one side and keep warm. ● Blanche the cabbage for 10 mins in boiling water, rinse, cut into fine strips, then place in a pan with the stock, add salt and pepper, bring to the boil and cook for 20 mins. Mix the crème fraîche, strain and set aside. ● Wash and spin the salad. ● Heat the grill on a high setting and grill the scallop hearts for 1 min on each side, sprinkle with smoked salt. ● Put the crème fraîche into soup plates, spread the mash, a few lettuce leaves and the scallops cut through the middle. Put 1 tea spoon of crème fraîche, 1 tea spoon of salmon eggs and a little dill on top. Serve right away.

The perfect match WHITE HERMITAGE

The hallmarks of this imaginative recipe are elegance and rusticity. So it finds a perfect match in the white Hermitage whose wealth of aromas is finely tuned to the finesse of the scallops. Its full-bodiedness will also blend well with the cream of cabbage.
Alternative: white Lirac.

Evasion en Amérique

Hamburgers, brownies et spare ribs composent le menu festif d'un pays dont la singularité est d'être pluriel : en attestent les classiques de sa cuisine frontalière, les pizzas autrefois napolitaines, le saumon « à la canadienne » et le chili désormais plus tex que mex. Un répertoire simple et généreux pour des alliances avec des vins rouges puissants et structurés, notamment à base de syrah.

Discover America

Hamburgers, brownies and spare ribs are quintessential foods that make up a festive American menu. Illustration of this diversity includes dishes such as pizzas that once came from Napes, salmon "à la canadienne", and chili that is now more Texican than Mexican. A simple and generous repertoire is heaven-matched for robust and full-bodied red wines, especially when made from Syrah grapes.

Amérique

AILERONS DE POULET SAUCE BARBECUE

Plat

Pour 4 à 6 personnes

Préparation : 25 mn/Cuisson : 1 h

750 g d'ailerons de poulet,
25 cl de ketchup,
30 g de sucre roux,
2 c. à soupe de sirop de maïs,
2 c. à soupe de mélasse,
2 c. à soupe de vinaigre de cidre,
2 c. à soupe de sauce Worcestershire,
2 c. à soupe de moutarde,
1/2 c. à café de piment en poudre ou de Tabasco,
1 c. à soupe de paprika,
sel, poivre.

● Mélangez le ketchup, le sucre roux, le sirop de maïs, la mélasse, le vinaigre de cidre, la sauce Worcestershire, la moutarde, le piment en poudre (ou le Tabasco) et le paprika dans une casserole et faites réduire à feu doux pendant 20-30 mn. ● Préchauffez le four à th. 8/240°. ● Salez et poivrez les ailerons de poulet, disposez-les dans un plat à four muni d'une grille et enfournez pour 15-20 mn. ● Enduisez le poulet de sauce barbecue et poursuivez la cuisson 15 mn environ en badigeonnant le poulet régulièrement de sauce. Servez avec le reste de sauce et du riz nature.

L'accord parfait
BEAUMES DE VENISE ROUGE

Avec son nez séduisant de fruits rouges et d'épices, sa souplesse alliée à des tanins bien charpentés, le Beaumes de Venise rouge mettra en valeur les saveurs sucré-salé de ce plat original. Une alliance décoiffante !
Autre proposition : Vacqueyras rouge.

America

CHICKEN WINGS IN BARBECUE SAUCE

Dish

For 4-6 people

Preparation time: 25 mins/Cooking time: 1 hr

1 lb 10 oz chicken wings,
1 cup ketchup,
1 oz brown sugar,
2 tablespoons of corn syrup,
2 tablespoons of molasses,
2 tablespoons of cider vinegar,
2 tablespoons of Worcestershire sauce,
2 tablespoons of mustard,
1/2 teaspoon of chili powder or Tabasco,
1 tablespoon of paprika,
salt and pepper.

● Mix the ketchup, the brown sugar, the corn syrup, the molasses, the cider vinegar, the Worcestershire sauce, the mustard, the powdered chili (or Tabasco) and the paprika in a saucepan and reduce over a low flame for 20 to 30 mins. ● Preheat the oven to 460 F°.
● Salt and pepper the chicken wings, place them in a baking dish with a griddle and cook for 15 to 20 mins.
● Coat the chicken with barbecue sauce and continue to cook for about 15 mins while regularly basting the chicken with sauce. Serve with the rest of the sauce and plain rice.

The perfect match
RED BEAUMES DE VENISE

With its seductive nose of red fruit and spices and its smoothness allied with well structured tannins, the red Beaumes de Venise perfectly offsets the sweet and sour flavors of this highly original dish. A breathtaking combination !
Alternative: red Vacqueyras.

Amérique

BROWNIES

Dessert

Pour 6-8 personnes

Préparation : 10 mn/Cuisson : 25 mn

200 g de chocolat noir,
200 g de beurre,
100 g de cerneaux de noix,
4 œufs,
200 g de sucre,
100 g de farine,
1 c. à café de levure chimique,
1 pincée de sel.

● Préchauffez le four th. 6/180°. ● Passez un moule carré sous l'eau froide sans l'essuyer et tapissez-le de papier sulfurisé. ● Cassez le chocolat dans une jatte. Ajoutez le beurre coupé en morceaux et faites fondre au micro-ondes ou au bain-marie. Lissez la préparation au fouet. ● Concassez grossièrement les noix. ● Battez les œufs entiers et le sucre jusqu'à ce que le mélange blanchisse. Ajoutez le chocolat et le beurre fondus, la farine, la levure et les noix. Mélangez et versez la préparation dans le moule. Faites cuire au four pendant 25 mn environ. Le gâteau est cuit quand la lame d'un couteau plantée au centre ressort un peu coulante. ● Sortez le gâteau du four et découpez-le dans le plat en carrés (vingt-quatre environ). Laissez refroidir dans le moule.

L'accord parfait
RASTEAU
(VIN DOUX NATUREL)

Par sa générosité, sa grande onctuosité et sa solide structure tannique, le vin doux naturel Rasteau rouge rehaussera parfaitement la saveur des brownies. De plus, ses arômes complexes de fruits noirs, d'épices et de réglisse sublimeront le chocolat. Un beau mariage !
Autre proposition : Côtes du Rhône Villages rouge.

America

BROWNIES

Dessert

For 6 to 8 people

Preparation time: 10 mins/Cooking time: 25 mins

7 oz dark chocolate,
7 oz butter,
$3^{1/2}$ oz shelled walnuts,
4 eggs, 7 oz sugar,
$3^{1/2}$ oz flour,
1 teaspoon of baking powder,
1 pinch of salt.

● Preheat the oven to 360 F°. ● Rinse a square mould under cold water and line with baking sheet without drying. ● Break the chocolate into a bowl. Add the butter cut into pieces and melt in the micro-wave or a bain-marie. Whisk the mixture until smooth. ● Roughly crush the nuts. ● Beat the whole eggs and the sugar until the mixture whitens. Add the melted chocolate and butter, the flour, the baking powder and the nuts. Mix and pour into the mould. Cook in the oven for about 25 mins. The cake is cooked if, when pricked in the middle with a knife, the blade comes out a little runny. ● Take the cake out of the oven and cut into square slices in the mould (about twenty slices). Leave to cool in the mould.

The perfect match
RASTEAU (SWEET WINE)

Full bodied, very smooth and with a solid tannic structure, the naturally sweet red Rasteau will bring out the full flavor of the brownies. And its complex flavors of dark fruit, spices and liquorice will make the chocolate taste divine. A marriage made in heaven !
Alternative: red Côtes du Rhône Villages.

Amérique

CHILI RAPIDE

Plat

Pour 6 personnes

Préparation : 10 mn/Cuisson : 45 mn

1 boîte de haricots rouges,
400 g de viande de bœuf hachée,
1 boîte de tomates pelées,
6 crêpes,
100 g de cheddar,
2 gousses d'ail,
1 oignon,
2 c. à soupe de ketchup,
1 c. à soupe de moutarde forte,
1 bouquet garni (thym, laurier),
2 c. à café de cumin en poudre,
1 c. à soupe de crème fraîche,
3 c. à soupe d'huile d'olive,
sel, poivre.

● Dans une casserole, versez les tomates pelées, puis l'ail pressé, le ketchup, 1 c. à soupe d'huile d'olive et le bouquet garni. ● Ecrasez légèrement les tomates à la fourchette directement dans la casserole. Salez, poivrez et laissez cuire sur feu moyen en remuant. Lorsque la sauce a réduit, réservez. ● Faites revenir l'oignon haché dans une poêle avec 2 c. à soupe d'huile d'olive sur feu moyen. Ajoutez la viande en l'émiettant et faites-la revenir sur feu vif en remuant à la cuillère en bois. Salez, poivrez, ajoutez la moutarde et le cumin, mélangez et versez le tout dans la sauce tomate. Rectifiez l'assaisonnement. ● Rincez les haricots dans une passoire sous l'eau froide. Ajoutez-les à la préparation, mouillez à hauteur d'eau, couvrez et laissez cuire 30 mn à partir de l'ébullition. ● Retirez le couvercle et poursuivez la cuisson à découvert 15 mn. Ajoutez la crème fraîche et servez avec les crêpes et le cheddar râpé.

L'accord parfait
LUBERON ROUGE

Un vin jeune, frais et bien structuré, voilà ce qu'il faut à ce classique tex-mex particulièrement relevé. Le Luberon rouge apportera toute la fraîcheur nécessaire et une richesse aromatique pleine de fruits, idéale pour agrémenter ce plat. Autre proposition : Côtes du Rhône rouge.

America

QUICK CHILI

Dish

For 6 people

Preparation time: 10 mins/Cooking time: 45 mins

1 can of red beans,
14 oz ground beef,
1 can of peeled tomatoes,
6 wheat pancakes,
3$^{1/2}$ oz cheddar cheese,
2 cloves of garlic,
1 onion,
2 tablespoons of ketchup,
1 tablespoon of hot mustard,
1 bouquet garni (thyme, bay leaf),
2 teaspoons of ground cumin,
1 tablespoon of crème fraîche,
3 tablespoons of olive oil,
salt, pepper.

● Pour the peeled tomatoes, the crushed garlic, the ketchup, 1 tablespoon of olive oil and the bouquet garni into a pan. ● Lightly mash the tomatoes in the pan with a fork. Add salt and pepper and allow to cook over a medium flame while stirring. Once the sauce has thickened, set to one side. ● Fry the chopped onions in a fry pan with 2 tablespoons of olive oil over a medium flame. Crumble the meat into the pan and fry over a high flame while stirring with a wooden spoon. Add salt and pepper, the mustard and the cumin, mix and pour everything into the tomato sauce. Add seasoning to taste. ● Rinse the beans in a sieve under cold water. Add them to the mixture, cover with water, put the lid on and allow to cook for 30 mins after boiling. ● Remove the lid and continue to cook for 15 mins. Add the crème fraîche and serve with the wheat pancakes and the grated cheddar cheese.

The perfect match
RED LUBERON

A young, refreshing and well structured wine, exactly what is needed for this classic and particularly hot tex-mex dish. The red Luberon will provide all the necessary freshness and the rich fruity aromas that are ideal to accompany this dish. Alternative: red Côtes du Rhône.

Amérique

CLUB-SANDWICHS

Plat

Pour 4 personnes

Préparation : 10 mn/Pas de cuisson

8 tranches de pain complet
ou de pain de campagne moulé,
150 g de filets de truite fumée,
1/2 avocat,
150 g de fromage de chèvre frais,
graines germées (2 c. à soupe d'alfalfa,
poireaux, radis, haricots mungo, etc.),
1 jus de citron,
2 c. à soupe d'huile d'olive,
poivre.

● Faites griller les tranches de pain. ● Badigeonnez-les d'huile d'olive. ● Tartinez 4 tranches avec le chèvre frais. Poivrez. ● Recouvrez de filets de truite coupés en morceaux, d'avocat coupé en tranches fines, que vous arroserez de jus de citron, et de graines germées. ● Recouvrez avec les 4 tranches de pain grillées restantes. ● Coupez chaque club-sandwich en deux en diagonale pour former des triangles.

L'accord parfait
CÔTES DU RHÔNE BLANC

Les parfums subtils de fleurs blanches et de fruits du Côtes du Rhône blanc contribueront grandement à enrichir la palette aromatique déjà large de cette recette surprenante alliant truite fumée et fromage de chèvre.
Autre proposition : Luberon rosé.

America

CLUB SANDWICHES

Dish

For 4 people

Preparation time: 10 mins/no cooking

8 slices of wholewheat bread
or farmhouse loaf,
5 oz smoked trout fillets,
1/2 avocado,
5 oz of fresh goat cheese,
germinated seeds (2 table spoons of alfalfa,
leeks, radishes, mung beans, etc.),
juice of 1 lemon,
2 tablespoons of olive oil,
pepper.

● Toast the slices of bread. ● Brush them with olive oil. ● Spread the fresh goat cheese on 4 slices. Add pepper. ● Cover with the smoked trout fillets cut into pieces and fine slices of avocado liberally sprinkled with lemon juice and germinated seeds. ● Cover with the remaining 4 slices of toasted bread. ● Cut each club sandwich diagonally in half to make triangles.

The perfect match
WHITE CÔTES DU RHÔNE

The subtle aromas of white flowers and fruit of the white Côtes du Rhône will greatly enhance the already broad palette of aromas of this surprising recipe that brings together smoked trout and goat cheese.
Alternative: Luberon rosé.

Amérique

DINDE FARCIE, POLENTA CRÉMEUSE

Plat 👨‍🍳👨‍🍳👨‍🍳

Pour 6 personnes

Préparation : 20 mn/Cuisson : 3 h

1 dinde,
100 g de cerneaux de noix, 50 g de beurre mou.
Pour la farce : 4 boudins blancs, 4 gousses d'ail,
2 oignons, 1 pomme, 1 poignée de persil frisé,
4 petits-suisses, 1 œuf, huile d'olive,
sel, poivre du moulin, muscade, cannelle.
Pour la polenta : 250 g de polenta précuite,
1 l de lait, 25 cl de crème fleurette, 40 g de beurre,
50 g de parmesan fraîchement râpé.

● Allumez le four th. 5/150°. Concassez grossièrement les cerneaux de noix et mélangez la moitié au beurre mou. ● Préparez la farce : pelez et hachez l'ail et les oignons et faites-les revenir dans une poêle avec un peu d'huile. Ajoutez la pomme lavée avec la peau en la râpant au-dessus de la poêle. Lavez le persil et hachez-le. Epluchez et coupez les boudins en morceaux, hachez-les, ajoutez-les dans la poêle avec le persil, les noix restantes, du sel, du poivre, un peu de muscade et de cannelle. Hors du feu, ajoutez les petits-suisses et l'œuf entier, et mélangez bien. ● Mettez la farce dans la dinde, cousez l'ouverture avec de la ficelle, tartinez la dinde avec le beurre aux noix, mettez-la dans un plat avec 2 verres d'eau et faites-la cuire 3 h en l'arrosant souvent. ● Pour la polenta : faites chauffer le lait et la crème dans une casserole, versez la polenta en pluie en remuant sans cesse au fouet pour éviter les grumeaux et faites-la cuire jusqu'à ce qu'elle se détache des parois. Hors du feu, ajoutez le beurre et le parmesan. ● Servez avec la dinde découpée et la farce à côté.

L'accord parfait
HERMITAGE BLANC

Avec ce plat de fête, il faut un vin impérial. Pourquoi pas un Hermitage blanc ? Tendre et charnu, doté d'une acidité mesurée, de saveurs complexes à la fois florales et délicatement grillées, il présente une texture qui enveloppera avec bonheur la chair fine et crémeuse de la dinde farcie. Autres propositions : Lirac blanc, Crozes-Hermitage blanc.

America

STUFFED TURKEY, CREAMY POLENTA

Dish 👨‍🍳👨‍🍳👨‍🍳

For 6 people

Preparation time: 20 mins/Cooking time: 3 hrs

1 turkey,
$3^{1/2}$ oz shelled walnuts, 2 oz soft butter.
For the stuffing: 4 white sausages, 4 cloves of garlic,
2 onions, 1 apple, 1 handful of parsley,
4 small tubs of fromage frais, 1 egg, olive oil,
salt, ground pepper, nutmeg, cinnamon.
For the polenta: 9 oz precooked polenta,
4 cups milk, 2 cups single cream, $1^{1/2}$ oz butter,
2 oz of freshly grated parmesan.

● Put the oven to 300 F°. Coarsely grind the walnuts and mix in half the soft butter. ● Prepare the stuffing: peel and chop the garlic and the onions and fry in a pan with a little oil. Wash the apple, without peeling and grate over the pan. Wash and chop the parsley. Remove the skin from the white sausages and cut into pieces, chop and add them into the pan with the parsley, the remaining nuts, salt, pepper and a little nutmeg and cinnamon. Remove from the flame and add the fromage frais and the whole egg and mix well. ● Stuff the turkey, truss the opening and brush with the butter and nuts. Place in an oven tray with 2 glasses of water and cook for 3 hrs, basting often. ● For the polenta: heat the milk and the cream in a pan, gradually pour in the polenta taking care to stir with a whisk to avoid clotting and cook until it comes away from the sides. Remove from the flame and add the butter and the parmesan. ● Serve with the carved turkey and the stuffing on the side.

The perfect match
WHITE HERMITAGE

This festive dish must be matched by a royal wine. Why not a white Hermitage? Tender and generous with a measured acidity and complex flavors that are both floral and delicately smoky, its texture will happily envelop the delicate, creamy flesh of the stuffed turkey.
Alternatives: white Lirac, white Crozes-Hermitage.

Amérique

FILET MIGNON DE PORC AU COLOMBO, RIZ MÉLANGÉ AUX FRUITS SECS ET POMME VERTE

Plat 🎩🎩

Pour 4 personnes

Préparation : 10 mn/Cuisson : 30 mn

2 petits filets mignons de porc,
2 c. à soupe de colombo,
2 c. à soupe d'huile d'olive,
30 g de beurre, sel, poivre.
<u>Pour accompagner :</u>
200 g de riz mélangé, 1 pomme granny-smith,
25 g de raisins secs, 25 g de pignons,
2 c. à soupe d'huile d'olive,
sel, poivre du moulin.
<u>Pour la sauce :</u>
200 g de yaourt nature,
1/2 c. à café de piment d'Espelette,
1/2 c. à café de colombo.

● Taillez la pomme en dés. ● Faites dorer les raisins secs et les pignons dans l'huile d'olive. ● Ajoutez le riz, les deux tiers des dés de pomme et 20 cl d'eau. ● Couvrez, baissez l'intensité du feu au minimum et faites cuire le riz jusqu'à ce qu'il ait absorbé toute l'eau, environ 20 mn. ● Salez et poivrez. Mélangez le yaourt avec les épices. ● Coupez les filets mignons en tranches d'environ 5 mm d'épaisseur. ● Faites chauffer le beurre et l'huile dans une poêle antiadhésive. ● Ajoutez le colombo, patientez 1 mn puis posez les tranches de filet mignon. ● Salez, poivrez et laissez dorer à feu vif 3 mn, puis prolongez la cuisson à feu doux environ 7 mn. ● Servez avec le riz aux fruits, le reste des dés de pomme crus et la sauce au yaourt.

L'accord parfait
SAINT-JOSEPH BLANC

Les élégants arômes de fleurs blanches, d'acacia et de miel du Saint-Joseph blanc se marieront harmonieusement avec cette recette des Antilles subtilement relevée. Rondeur, fraîcheur et parfait équilibre compléteront le tout dans une belle harmonie.
Autre proposition : Côtes du Rhône Villages blanc « Laudun ».

America

COLOMBO OF FILET MIGNON OF PORK, MIXED RICE WITH DRIED FRUITS EN APPLE

Dish 🎩🎩

For 4 people

Preparation time: 10 mins/Cooking time: 30 mins

2 small filets mignons of pork, 2 tablespoons of colombo, 2 tablespoons of olive oil, 1 oz butter, salt, pepper.
<u>On the side:</u>
7 oz of mixed rice, 1 granny smith apple,
1 oz raisins, 1 oz pine kernels,
2 tablespoons of olive oil,
salt, ground pepper.
<u>For the sauce:</u>
7 oz plain yoghurt,
1/2 teaspoon of colombo.

● Dice the apple. ● Brown the raisins and the pine kernels in olive oil. ● Add the rice, two thirds of the diced apple and 7 fl oz of water. ● Cover, lower the heat to a minimum and cook the rice until it has absorbed all the water, about 20 mins. ● Add salt and pepper. Mix the yoghurt with colombo. ● Cut the filets mignons into slices of about 1/4 inch thick. ● Heat the butter and the oil in a non-stick fry pan. ● Add the colombo, wait for 1 min and then put the slices of filet mignon in the pan. ● Add salt and pepper and cook over a high flame for 3 mins until golden brown, then continue to cook over a gentle flame for 7 mins. ● Serve with the mix of rice and fruits, the rest of the diced raw apple and the yoghurt sauce.

The perfect match
WHITE SAINT-JOSEPH

The elegant aromas of white flowers, acacia and honey of the white Saint-Joseph will go wonderfully with this subtly spicy Caribbean recipe. Well rounded, refreshing and perfectly balanced, the wine will provide a harmonious complement to the dish.
Alternative: white «Laudun» Côtes du Rhône-Villages.

Amérique

GUACAMOLE

Entrée

Pour 6 personnes

Préparation : 10 mn/Cuisson : 5 mn

6 avocats,
2 citrons verts,
3-4 gouttes de Tabasco,
10 cl d'huile d'olive,
sel.

● Pressez le jus des citrons verts. ● Pelez les avocats, coupez-les en morceaux et mixez-les avec le jus des citrons et l'huile d'olive. Ajoutez 3-4 gouttes de Tabasco. Salez. ● Goûtez pour vérifier l'assaisonnement. ● Servez le guacamole bien froid avec des tortillas chips de maïs et du pain libanais toasté. Vous pouvez aussi ajouter quelques rondelles de citronnelle.

L'accord parfait
COSTIÈRES DE NÎMES ROSÉ

Doux et acidulé, le guacamole ne peut être que séduit par le fruité, la franchise et la vivacité du Costières de Nîmes rosé. Aromatique et légèrement épicé, il reste néanmoins suffisamment puissant pour tenir tête à l'avocat.
Autre proposition : Côtes du Rhône rosé.

America

GUACAMOLE

Starter

For 6 people

Preparation time: 10 mins/Cooking time: 5 mins

6 avocados,
2 limes,
3 to 4 drops of Tabasco
3 fl oz olive oil,
salt.

● Press the juice of the limes. ● Peel the avocados, cut into pieces, mix with the lime juice. Add the 3 to 4 drops of Tabasco. Add salt. ● Taste to check the seasoning. ● Serve the guacamole chilled with tortilla corn chips and pita bread. You could also add a few slivers of lemongrass.

The perfect match
COSTIÈRES DE NÎMES ROSÉ

Sweet and slightly acid, the guacamole cannot avoid being seduced by the fruitiness, the candor and the vivacity of the Costières de Nîmes rosé. Aromatic and a little spicy, it nevertheless has the personality to stand up to the avocado.
Alternative: Côtes du Rhône rosé.

Amérique

HAMBURGERS « MAISON »

Plat 👨‍🍳👨‍🍳

Pour 4 hamburgers

Préparation : 20 mn/Cuisson : 5 mn

400 g de viande de bœuf non persillée,
type « tranche », fraîchement hachée,
4 muffins, 4 tranches fines de lard fumé,
4 tranches fines de gouda,
4 petites poignées de roquette,
1 belle tomate, 2 c. à soupe de ketchup,
1 c. à soupe de Worcestershire sauce,
1 c. à café de Tabasco, huile d'arachide,
1 bonne pincée de muscade et de cannelle,
sel, poivre du moulin.

● Lavez et essorez la roquette. Lavez puis tranchez finement la tomate. Mélangez le ketchup, la Worcestershire sauce et le Tabasco. ● Epicez la viande de muscade et de cannelle. ● Formez 4 pavés bien ronds de la taille des muffins. ● Faites chauffer l'huile. ● Sur un gril à viande antiadhésif, saisissez le lard fumé, puis les steaks hachés, 2 mn de chaque côté. Salez, poivrez. ● En même temps, tranchez en deux les muffins et toastez-les légèrement au grille-pain. ● Posez sur chaque demi-muffin 1 poignée de roquette. ● Ajoutez le gouda, la viande, un peu de sauce, des rondelles de tomate, puis les demi-muffins restants. ● Vous pouvez accompagner ces hamburgers d'un buisson d'oignons frits : émincez 2 gros oignons et roulez-les dans 4 c. à soupe de farine. Tapotez-les légèrement. ● Plongez-les 1 mn dans 50 cl d'huile chaude. Retirez-les dès qu'ils sont dorés, égouttez-les et servez-les aussitôt.

L'accord parfait
CÔTES DU RHÔNE VILLAGES ROUGE

Un vin chaleureux, des arômes épicés, une structure souple, voilà ce qu'il faut à ce plat mythique de la cuisine américaine. Le Côtes du Rhône Villages rouge possède cette générosité mais aussi le caractère affirmé indispensable au bon équilibre de l'ensemble.
Autre proposition : Côtes du Rhône rouge.

America

HOMEMADE HAMBURGERS

Dish 👨‍🍳👨‍🍳

For 4 hamburgers

Preparation time: 20 mins/Cooking time: 5 mins

14 oz lean, freshly ground
beef, such as top rump,
4 rolls, 4 thin slices of smoked bacon,
4 thin slices of gouda,
4 small handfuls of arugula,
1 big tomato, 2 tablespoons of ketchup,
1 tablespoon of Worcestershire sauce,
1 teaspoon of Tabasco, groundnut oil,
1 good pinch of nutmeg and cinnamon,
salt, ground pepper.

● Wash and dry the arugula. Wash and then cut the tomato into thin slices. Mix the ketchup, the Worcestershire sauce and the Tabasco. ● Season the meat with the nutmeg and the cinnamon. ● Make four nice round patties to fit the rolls. ● Heat the oil. Use a non-stick grill to sear the smoked bacon and then the hamburger patties for 2 mins on each side. Add salt and pepper. ● At the same time cut the rolls in half and lightly toast them in the toaster. ● Place a handful of arugula on each roll. ● Add the gouda, the meat, a little sauce and the tomato slices, then put on the other halves of the rolls. ● You might want to eat the hamburgers with fried onion rings: slice 2 big onions and roll them in 4 tablespoons of flour. Tap gently. ● Plunge for 1 min into 2 cups of hot oil. Remove as soon as golden, drain and serve straight away.

The perfect match
RED CÔTES DU RHÔNE VILLAGES

A hearty wine with spicy notes and a smooth structure, just right for this legendary American dish. The red Côtes du Rhône Villages has not only the body, but also the required character to bring balance to the whole experience.
Alternative: red Côtes du Rhône.

Amérique

PIZZA XXL

Plat 👨‍🍳👨‍🍳

Pour 8 personnes

Préparation : 20 mn/Cuisson : 1 h

500 g de pâte à pizza.
<u>Pour la garniture :</u>
2 tranches de jambon de Paris,
200 g de fromage râpé (emmental),
3 petites tomates, 3 brins de thym frais,
20 filets d'anchois à l'huile,
20 olives noires.
<u>Pour la sauce :</u>
2 oignons,
6 c. à soupe d'huile d'olive,
4 c. à soupe de concentré de tomate,
1 grande boîte de pulpe de tomate,
1 c. à café d'origan ou d'herbes de Provence,
1 feuille de laurier, sel, poivre du moulin.

● Préparez la sauce à la tomate : pelez les oignons, hachez-les et faites-les revenir dans l'huile d'olive sur feu moyen. ● Dès qu'ils sont translucides, ajoutez le concentré de tomate, la pulpe de tomate avec le jus, l'origan et le laurier. Mélangez. Réduisez le feu et laissez mijoter 35 mn en remuant de temps en temps. Salez et poivrez à la fin. Laissez tiédir un peu la sauce hors du feu et retirez le laurier. ● Allumez le four th. 7/210°. Sortez la plaque du four et posez une feuille de papier sulfurisé dessus. ● Découpez les tranches de jambon en lamelles et les tomates en rondelles. ● Etalez la pâte à pizza. Répartissez la sauce tomate sur la pâte jusqu'à 1 cm du bord. Ajoutez le jambon et les tomates en rondelles. Parsemez de fromage râpé et disposez les anchois bien égouttés et les olives. Saupoudrez l'ensemble de thym. ● Poivrez et salez à peine, les anchois le sont déjà. ● Faites cuire la pizza 15 mn environ et servez aussitôt.

L'accord parfait
CÔTES DU RHÔNE ROUGE

Anchois, jambon, fromage, tomates... Sur la pizza, les goûts se fondent et s'entrechoquent. Pour s'adapter aux aromates et aux épices, rien de tel que le Côtes du Rhône rouge, qui saura épouser la pointe d'acidité de la tomate et le goût fruité de l'olive.
Autre proposition : Côtes du Rhône Villages.

America

PIZZA XXL

Dish 👨‍🍳👨‍🍳

For 6 people

Preparation time: 20 mins/Cooking time: 1 hr

18 oz of pizza dough.
<u>For the topping:</u>
2 slices of cooked ham,
7 oz grated emmental cheese,
3 small tomatoes, 3 sprigs of fresh thyme,
20 anchovy fillets in oil, 20 black olives,
<u>For the sauce:</u>
2 onions, 6 tablespoons of olive oil,
4 tablespoons of tomato concentrate,
1 large tin of crushed peeled tomatoes,
1 teaspoon of oregano or «herbes de Provence»,
1 bay leaf, salt, ground pepper.

● Prepare the tomato sauce: peel the onions, chop and fry in olive oil over a medium flame. ● Once they have become translucent, add the tomato concentrate, the crushed peeled tomatoes with their juice, the oregano and the bay leaf. Mix. Lower the flame and leave to simmer for 35 mins stirring from time to time. Add salt and pepper at the end. Remove from the heat and leave to cool a little having removed the bay leaf. ● Turn the oven on 400 F°. Take the oven tray out and cover with a sheet of sulfurized paper. ● Cut the ham into strips and slice the tomatoes. ● Roll out the pizza dough. Spread the tomato sauce on the base leaving 1/2 inch around the edge. Put on the ham and the tomato slices. Sprinkle with grated cheese and add the thoroughly drained anchovies and the olives. Sprinkle all over with thyme. ● Add a touch of salt and pepper as the anchovies are salty anyway. ● Cook the pizza for about 15 mins and serve straight away.

The perfect match
RED CÔTES DU RHÔNE

Topping the pizza with anchovies, ham, cheese and tomatoes, tastes that both blend together and contrast with each other. Nothing quite like a red Côtes du Rhône to adapt to the herbs and spices, a wine that embraces both the touch of acidity of the tomatoes and the fruity taste of the olives.
Alternative: Côtes du Rhône Villages.

Amérique

RŌTI DE BICHE ET POIRES AU LARD

Plat 👨‍🍳👨‍🍳

Pour 6-8 personnes

Préparation : 30 mn/Cuisson : 1 h

1 rôti de biche de 1,5 kg environ,
6 ou 8 tranches de lard fines,
2 c. à soupe de moutarde forte,
2 c. à soupe de graines de moutarde,
6 ou 8 poires,
1 bouteille de vin rouge corsé,
5 c. à soupe de miel,
2 c. à soupe de chili en poudre,
1 c. à soupe de graines de coriandre,
1 c. à soupe de baies de genièvre,
beurre, sel, poivre.

● La veille ou le matin même, badigeonnez la viande de moutarde, salez et poivrez. Saupoudrez-la de graines de moutarde et réservez-la au frais recouverte de papier d'aluminium. ● Préparez les poires : pelez-les et évidez-les par le dessous. Faites bouillir le vin avec le miel et les épices, et ajoutez les poires. Faites-les pocher environ 20 mn à petits frémissements. ● Laissez-les refroidir dans le vin, puis sortez-les à l'aide d'une écumoire. Faites réduire le vin des trois quarts sur feu vif. ● Au dernier moment, allumez le four th. 8/240° et beurrez un plat à four. Mettez le rôti dans le plat et faites-le cuire dans le four chaud pendant 30 à 40 mn, en fonction du poids et du degré de cuisson désiré. ● Pendant ce temps, réchauffez les poires dans le vin réduit. Rectifiez l'assaisonnement en ajoutant du sel et du poivre. ● Faites dorer les tranches de lard dans une poêle avec un peu de beurre, sur feu doux. ● Laissez reposer la viande 5 mn recouverte de papier d'aluminium. Puis découpez-la et servez-la avec les poires et le lard.

L'accord parfait
HERMITAGE ROUGE

Plat d'excellence, le rôti de biche doit être accompagné d'un grand vin de la Vallée du Rhône. L'Hermitage rouge en est un. Ses arômes puissants et sa matière noble et suave conviendront à la chair particulièrement fine de ce gibier à poil.
Autre proposition : Cornas.

America

ROAST VENISON WITH PEARS AND BACON

Dish 👨‍🍳👨‍🍳

For 6 to 8 people

Preparation time: 30 mins/Cooking time: 1 hr

1 joint of venison of about 3 lbs,
6 or 8 thin slices of bacon,
2 tablespoons of hot mustard,
2 tablespoons of mustard seeds,
6 or 8 pears,
1 bottle of full-bodied red wine,
5 tablespoons of honey,
2 tablespoons of chili powder,
1 tablespoon of coriander seeds,
1 tablespoon of juniper berries,
butter, salt, pepper.

● The day before or the same morning, brush the meat with mustard, salt and pepper. Sprinkle it with the mustard seeds and leave in a cool place covered with aluminum foil. ● Prepare the pears: peel and core them from the bottom. Boil the wine with the honey and spices and add the pears. Poach for about 20 mins while lightly simmering. ● Leave them to cool down in the wine, then remove with a skimming ladle. Reduce the wine over a high flame until 1/4 is left. ● At the last minute, turn the oven to 460 F° and butter an oven tray. Put the roast in the tray and cook in a hot oven for 30 to 40 mins, depending on the weight and how you like it cooked. ● While it is cooking, reheat the pears in the wine reduction. Add salt and pepper to taste. ● Fry the bacon slices in a pan with a little butter over a low flame until golden brown. ● Leave the meat to stand for 5 mins covered with aluminum foil. Then carve and serve with the pears and the bacon.

The perfect match
RED HERMITAGE

A magnificent dish like roast venison should be accompanied by one of the great Rhone Valley wines. Red Hermitage is just such a wine. Its potent aromas and its noble and sophisticated nature go particularly well with the delicate gamy meat.
Alternative: Cornas.

Amérique

SAUMON « À LA CANADIENNE »

Plat

Pour 8 personnes

Préparation : 10 mn/Cuisson : 7 mn

Trempage du bois : 1 h

1 gros saumon entier (1,8 à 2 kg),
2 gousses d'ail,
50 g de beurre mou,
1 bouquet d'aneth,
fleur de sel,
2 planchettes en bois (cèdre, pommier, noyer…),
un peu plus longues que les filets de saumon.

● Préparez le barbecue avec du charbon de bois et quelques branches. ● Faites lever les filets du saumon par votre poissonnier en conservant la peau. ● Faites tremper les planchettes en bois au moins 1 h avant de les utiliser. ● Pelez les gousses d'ail, dégermez-les et hachez-les avec un presse-ail au-dessus d'un bol. Ajoutez le beurre mou, l'aneth ciselé et de la fleur de sel. Malaxez pour obtenir un beurre d'ail aux herbes homogène. ● Tartinez légèrement l'intérieur des filets de saumon avec le beurre. ● Attachez-les sur les planches avec de la ficelle à rôtir (de préférence, côté peau contre le bois, si vous voulez obtenir un croustillant délicieux) et déposez le tout sur la grille du barbecue ou sur les braises d'un feu. Couvrez et laissez cuire 5 à 7 mn à l'étouffée, en surveillant la cuisson. Le saumon doit être juste cuit.

L'accord parfait
VACQUEYRAS BLANC

Ce rustique saumon canadien trouvera un bon compagnon avec le Vacqueyras blanc et son bouquet très floral. Sa rondeur et son acidité sont par ailleurs particulièrement bien adaptées à la chair riche de ce poisson.
Autre proposition : Saint-Joseph blanc.

America

SALMON "À LA CANADIENNE"

Dish

For 8 people

Preparation time: 10 mins/Cooking time: 7 mins

To soak the wood: 1 hr

1 large whole salmon (3 to 4 lbs),
2 cloves of garlic,
2 oz soft butter,
1 sprig of dill,
flower of sea salt,
2 wooden boards (cedar, apple, walnut…),
a little longer than the salmon fillets.

● Fire up the barbecue with charcoal and some twigs. ● Have your fishmonger cut the salmon fillets leaving the skin on. ● Soak the wooden boards for at least 1 hr before using. ● Peel the cloves of garlic, remove the shoots and press the garlic over a bowl. Add the soft butter, the chopped dill and the fleur de sel. Mix by hand to obtain smooth garlic butter with herbs. ● Spread the butter lightly over the insides of the salmon fillets. ● Use cooking string to secure them on the wooden boards (preferably with the skin against the wood for a delicious crispy finish) and place on the barbecue grill or directly on the coals of a fire. Cover and allow to steam for 5 to 7 mins and watch carefully. The salmon should only just be cooked.

The perfect match
WHITE VACQUEYRAS

This rustic Canadian style salmon could not hope for a better companion than a white Vacqueyras with its well developed floral bouquet. Its full-bodiedness and its acidity are also particularly suited to the salmon's rich flesh.
Alternative: white Saint-Joseph.

Amérique

TARTARE POÊLÉ MINUTE

Plat

Pour 6 personnes
Préparation : 10 mn/Cuisson : 2 mn

900 g de gîte à la noix,
1 oignon,
1 gousse d'ail,
1/4 de bouquet de coriandre,
4 c. à soupe de sauce anglaise
(Worcestershire),
2 c. à soupe de câpres,
3 c. à soupe de moutarde forte,
1 c. à café de piment d'Espelette,
3 jaunes d'œufs,
30 g de beurre,
sel, poivre du moulin.

● Demandez à votre boucher de hacher la viande au couteau ou faites-le chez vous au dernier moment. Pelez l'oignon et l'ail, hachez-les finement et passez la coriandre à la moulinette. ● Mélangez le hachis à la viande. Puis ajoutez la sauce anglaise, les câpres, la moutarde, le piment d'Espelette et les jaunes d'œufs. Salez, poivrez et façonnez six tartares. ● Faites chauffer le beurre dans une grande poêle antiadhésive ou dans deux plus petites. Dès qu'il commence à sentir la noisette, faites cuire les steaks sur feu vif pendant 1 mn, puis retournez-les et poursuivez la cuisson 30 secondes à 1 mn. Servez aussitôt avec des frites croustillantes.

L'accord parfait
SAINT-JOSEPH ROUGE

Oignon et ail, câpres et sauce anglaise, moutarde et piment : ce plat aux saveurs corsées exige un vin à la fois puissant et délicat. Les arômes de réglisse et les tanins souples du Saint-Joseph rouge conviendront totalement au goût ardent du tartare.
Autre proposition : Vacqueyras rouge.

America

MINUTE TARTAR

Dish

For 6 people

Preparation time: 10 mins/Cooking time: 2 mins

2 lbs round of beef,
1 onion,
1 clove of garlic,
1/4 bunch of coriander,
4 tablespoons of Worcestershire sauce,
2 tablespoons of capers,
3 tablespoons of hot mustard,
3 egg yolks,
1 oz butter,
salt, ground pepper.

● Ask your butcher to grind the meat with a knife or do it at home at the last minute. Peel the onion and the garlic, chop finely and put the coriander through a mixer. ● Mix with the meat. Then add the Worcestershire sauce, the capers, the mustard and the egg yolks. Add salt and pepper and make six steaks. ● Heat the butter in a big non-stick fry pan or in two smaller ones. As soon as the butter begins to smell nutty, cook the steaks over a high flame for 1 min, then turn them over and continue to cook for 30 seconds to 1 min. Serve straight away with crispy fries.

The perfect match
RED SAINT-JOSEPH

Onion and garlic, capers and Worcestershire sauce, mustard and pepper, this spicy dish cries out for a robust, but delicate wine. The aroma of liquorice and the smooth tannins of the red Saint Joseph will make a perfect match for the fiery taste of the tartar.
Alternative: red Vacqueyras.

Amérique

TRAVERS DE PORC À L'AMÉRICAINE AU BARBECUE

Plat 🍴🍴🍴

Pour 4 personnes

Préparation : 10 mn/Marinade : 4 h

Cuisson : 30 mn

700 g de travers de porc frais.
<u>Pour la marinade :</u>
4 c. à soupe de sirop d'érable,
2 c. à soupe de ketchup, 2 c à soupe de Worcestershire sauce, 2 c. à soupe de Tabasco, 2 c. à soupe de sauce soja, 2 branches de romarin, poivre du moulin.
<u>Pour accompagner :</u>
1 kg de pommes de terre charlotte,
4 c. à soupe d'huile d'olive, sel, piment d'Espelette.

● Coupez le travers toutes les deux côtes. ● Mélangez les ingrédients de la marinade. ● Posez les travers dans un plat, ajoutez la marinade, couvrez le plat d'un film alimentaire et réservez au réfrigérateur 4 h minimum. Retournez plusieurs fois les travers dans la marinade. Mettez en route un barbecue pour obtenir beaucoup de braises. Le porc ne se mange pas rosé, les braises doivent donc durer longtemps. ● Préchauffez le four th. 7/210°. ● Lavez et coupez les pommes de terre en deux. ● Tapissez la tôle du four de papier sulfurisé, badigeonnez-le d'huile et poudrez-le de sel et de piment d'Espelette. ● Posez les pommes de terre, côté chair contre le papier, et faites-les cuire jusqu'à ce qu'elles soient tendres et dorées, entre 20 et 30 mn. ● Sortez les travers de la marinade, posez-les sur le barbecue, pas trop près des braises, et faites-les cuire le plus lentement possible, entre 20 et 30 mn. ● En cours de cuisson, au moment de les retourner, passez les travers dans la marinade, puis reposez-les sur la grille. ● Servez avec les pommes de terre rôties.

L'accord parfait
CÔTES DU RHÔNE ROUGE

Un barbecue, des amis... Et un Côtes du Rhône rouge ! Vin de convivialité par excellence, ses notes de garrigue, sa structure souple et généreuse accompagneront à merveille cette viande grillée.
Autre proposition : Costières de Nîmes rouge.

America

BARBECUE SPARE RIBS

Dish 🍴🍴🍴

For 4 people

Preparation time: 10 mins/Marinade: 4 hrs

Cooking time: 30 mins

$1^{1/2}$ lbs fresh spare ribs.
<u>For the marinade:</u>
4 tablespoons of maple syrup,
2 tablespoons of ketchup, 2 tablespoons of Worcestershire sauce, 2 tablespoons of Tabasco, 2 tablespoons of soya sauce, 2 sprigs of rosemary, ground pepper.
<u>Accompaniment:</u>
2 lbs charlotte potatoes, 4 tablespoons of olive oil, salt.

● Cut the spare ribs at every other rib. ● Mix the ingredients for the marinade. ● Place the ribs in a dish, add the marinade, cover the dish with food grade film and put aside in the fridge for at least 4 hrs. Turn the ribs over several times in the marinade. Fire up the barbecue to obtain plenty of coals. Pork is not eaten pink, so the coals must last for a long time. ● Preheat the oven to 400 F°. ● Wash the potatoes and cut in half. ● Line the metal oven dish with baking sheet, brush with oil and sprinkle salt and pepper. ● Place the potatoes skin side up on the paper and cook between 20 and 30 mins until tender and golden. ● Take the ribs out of the marinade and put them on the barbecue, not too close to the coals, and cook as slowly as possible for between 20 and 30 mins. ● During cooking, when turning them over, put them through the marinade before replacing on the grill. ● Serve with the roast potatoes.

The perfect match
RED CÔTES DU RHÔNE

A barbecue, good friends... and a red Côtes du Rhône! This most convivial of wines with its notes of garrigue and its smooth, full-bodied structure is a marvelous accompaniment for the grilled meat.
Alternative: red Costières de Nîmes.

Evasion en Méditerranée

Royaume des tomates confites, des figues, des aubergines, des épices et de la graine... L'art culinaire du pourtour méditerranéen, à la mode avec ses recettes généreuses, diététiques et légèrement relevées, se mariera parfaitement avec les arômes de fruits rouges des vins des Côtes du Rhône.

Discover the Mediterranean

The contemporary culinary art of the Mediterranean region, with its generous, healthy and slightly spicy recipes, makes a perfect match for the red fruit flavors of Côtes du Rhône wines.

Méditerranée

BOULETTES AUX DEUX VIANDES

Plat 👨‍🍳👨‍🍳

Pour 6 personnes

Préparation : 30 mn/Cuisson : 45 mn

300 g de viande de bœuf hachée,
300 g de viande de veau hachée,
200 g de pommes de terre à purée (type bintje),
1 grosse boîte de tomates pelées,
3 gousses d'ail, 5 c. à soupe d'huile d'olive,
4 c. à soupe de vin rouge corsé, 1 beau brin de romarin,
200 g de mie de pain rassie, 1 verre de lait, 2 œufs,
1 noix de muscade, 10 brins de persil plat,
300 g de chapelure fine, sel, poivre du moulin.

● Faites dorer 2 gousses d'ail pelées et écrasées dans 2 c. à soupe d'huile, 5 mn. Ajoutez les tomates et leur jus, écrasez à la fourchette, ajoutez le vin rouge et la moitié du romarin. Salez, poivrez et laissez cuire 20 mn à couvert, sur feu doux. Otez le couvercle et poursuivez la cuisson 10 mn. ● Dans un bol, imbibez de lait la mie de pain. Laissez reposer. ● Faites cuire les pommes de terre avec leur peau dans de l'eau salée. ● Mettez les viandes dans un saladier avec 1 gousse d'ail hachée et mélangez avec les mains. Ajoutez les pommes de terre pelées. Ecrasez le tout à la fourchette. Mélangez. Ajoutez 2 œufs, la mie de pain essorée, 2 pincées de noix muscade râpée et le persil ciselé. Mélangez. Humidifiez vos mains et préparez des boulettes. Roulez-les dans la chapelure. ● Faites chauffer l'huile d'olive restante dans une sauteuse et faites cuire les boulettes environ 10 mn sur feu moyen, jusqu'à ce qu'elles soient bien dorées. Egouttez-les sur un papier absorbant, puis mettez-les dans la sauce tomate. Au moment de servir, parsemez de romarin.

L'accord parfait
CÔTES DU RHÔNE ROUGE

Tomate, huile d'olive et romarin, ce plat fleure bon la Méditerranée. Il s'accordera parfaitement avec un Côtes du Rhône rouge chaleureux et épicé qui épousera les saveurs de l'ail et du romarin, tout en s'accommodant de la légère acidité de la tomate.
Autre proposition : Côtes du Rhône Villages rouge.

Mediterranean

MIXED MEATBALLS

Dish 👨‍🍳👨‍🍳

For 6 people

Preparation time: 30 mins/Cooking time: 45 mins

10 oz ground beef, 10 oz ground veal,
7 oz potatoes for purée (bintje type),
1 large tin of peeled tomatoes,
3 cloves of garlic, 5 tablespoons of olive oil,
4 tablespoons of full-bodied red wine,
1 large sprig of rosemary,
7 oz stale white bread, 1 glass of milk, 2 eggs,
1 nutmeg, 10 sprigs of flat leaf parsley,
10 oz fine breadcrumbs, salt, ground pepper.

● Fry 2 peeled and crushed cloves of garlic in 2 tablespoons of oil for 5 mins. Add the tomatoes and their juice, mash with a fork, add the red wine and half the rosemary. Add salt and pepper and allow to cook for 20 mins with the lid on over a gentle flame. Remove the lid and continue to cook for 10 mins. ● Soak the white bread in milk in a bowl. Leave it to stand. ● Cook the potatoes with their skins in salted water. ● Put both types of meat in a salad bowl with one chopped clove of garlic and mix by hand. Add the peeled potatoes. Mash the ingredients with a fork. Mix. Add 2 eggs, the strained bread, 2 pinches of grated nutmeg and the chopped parsley. Mix. Wet your hands and prepare the meatballs. Roll them in the breadcrumbs. ● Heat the remaining olive oil in a deep fry pan and cook the meatballs for about 10 mins over a medium flame until they are nicely golden. Drain on kitchen paper and then put them into the tomato sauce. Sprinkle with rosemary just before serving.

The perfect match
RED CÔTES DU RHÔNE

With tomatoes, olive oil and rosemary, this dish has all the savor of the Mediterranean. It marries well with a warm and spicy red Côtes du Rhône and goes well with the taste of garlic and rosemary while getting along nicely with the slight acidity of the tomatoes.
Alternative: red Côtes du Rhône Villages.

Méditerranée

COUSCOUS

Plat

Pour 4 personnes

Préparation : 20 mn/Cuisson : 20 mn

400 g de viande de veau,
1 paquet de semoule (grain moyen),
1 oignon,
1 poireau,
2 courgettes,
2 carottes,
200 g de potiron,
quelques pois chiches,
2 l de bouillon de légumes,
1 c. à café d'huile d'olive,
1 c. à café de paprika, 1 pincée de safran,
sel et poivre.

● Dans une poêle, faites revenir dans une cuillerée d'huile d'olive l'oignon taillé en rondelle. Ajoutez la viande de veau coupée en petits dés. ● Coupez les courgettes, les carottes et le potiron épluchés et le poireau en petits dés et faites-les revenir dans la poêle avec une pincée de sel, 1 c. à café de paprika et une pincée de safran. Ajoutez ensuite le bouillon de légumes. ● Réchauffez à part la semoule et disposez-la en pyramide. Versez dans le plat la viande et les légumes. ● Enfin, assaisonnez le bouillon avec une pincée de poivre puis mouillez la semoule.

L'accord parfait
CŌTES DU RHŌNE ROSĒ

Pour accompagner les textures différentes de ce couscous méditerranéen (semoule, viande, bouillon, légumes) et se marier avec ses arômes épicés, rien de tel qu'un Côtes du Rhône rosé. Frais et suffisamment structuré, il constituera vraiment l'accord idéal.

Autre proposition : Costières de Nîmes rouge.

Mediterranean

COUSCOUS

Dish

For 4 people

Preparation time: 20 mins/Cooking time: 20 mins

1 lb veal (or chicken),
1 packet of semolina (medium grain),
1 onion,
1 leek,
2 zucchini,
2 carrots,
7 oz pumpkin,
4 pints of vegetable stock,
1 teaspoon of olive oil,
1 teaspoon of paprika, saffron
salt and pepper.

● Cut the onion into rings and fry in a pan with a spoonful of olive oil. Add the veal diced into small cubes. ● Peel the zucchinis, the carrots and the pumpkin, dice them and the leek and fry in the pan with a pinch of salt and a teaspoon of paprika and saffron. Next, add the vegetable stock. ● Reheat the semolina separately and shape into a pyramid. Pour the meat and the vegetables into the dish. ● Finally, season the stock with a pinch of pepper and then wet the semolina.

The perfect match
CŌTES DU RHŌNE ROSĒ

To accompany the varied textures of this Mediterranean couscous (semolina, meat, stock and vegetables) and to be the perfect partner for its spicy aromas, nothing quite like a Côtes du Rhône rosé. Light but well structured, it really is the ideal match.

Alternative: red Costières de Nîmes.

Méditerranée

KEBAB D'AGNEAU

Plat ♟♟

Pour 4 personnes

Préparation : 10 mn/Marinade : 1 h

Cuisson : 10 mn

600 g de gigot d'agneau,
1 c. à café de thym séché,
1 c. à café de sumac (épice iranienne),
1 c à café de graines de sésame,
1 c. à café d'ail surgelé,
1 c. à soupe de gros sel,
1 c. à soupe de zeste de citron confit,
3 c. à soupe + 10 cl d'huile d'olive, sel, poivre.

● Placez le thym, le sumac, les graines de sésame et 1 c. à soupe de gros sel dans un mortier et réduisez en poudre à l'aide d'un pilon. ● Faites mariner le gigot d'agneau coupé en cubes dans 3 c. à soupe d'huile d'olive avec le mélange moulu et placez 30 mn au frais. ● Préchauffez le gril du four ou préparez le barbecue. ● Enfilez les cubes d'agneau sur des broches et faites griller pendant 2 mn de chaque côté. ● Mélangez le reste d'huile d'olive avec l'ail haché surgelé et le zeste de citron confit haché. Salez et poivrez. Mélangez. ● Servez les brochettes d'agneau avec des pains pitas réchauffés sous le gril, des courgettes grillées, des tomates-cerises, des oignons rouges émincés et la sauce au citron confit.

L'accord parfait
CÔTES DU RHÔNE ROUGE

Agneau et vin rouge, mariage d'amour... La règle s'impose naturellement et s'applique particulièrement au Côtes du Rhône rouge. Fruité, souple et agréable, il lui faut du thym, de l'ail et des épices pour s'épanouir pleinement. Bref, tout ce que l'on trouve dans le kebab.
Autre proposition : Luberon rouge.

Mediterranean

LAMB KEBAB

Dish ♟♟

For 4 people

Preparation time: 10 mins/Marinade: 1 hr

Cooking time: 10 mins

1 $^{1/4}$ lb leg of lamb,
1 teaspoon of dried thyme,
1 teaspoon of sumac (Iranian spice),
1 teaspoon of sesame seeds,
1 teaspoon of frozen garlic,
1 tablespoon of coarse salt,
1 teaspoon of preserved lemon rind,
3 teaspoons + 3 fl oz olive oil, salt, pepper.

● Place the thyme, the sumac, the sesame seeds and 1 tablespoon of coarse salt in a mortar and pestle and grind to a powder. ● Marinade the cut and diced leg of lamb cut in 3 tablespoons of olive oil with the ground mixture of salt and spices and place in the fridge for 30 mins. ● Preheat the oven grill or fire up the barbecue. Slide the cubes of lamb onto skewers and grill for 2 mins on each side. ● Mix the rest of the olive oil with the chopped frozen garlic and the preserved chopped lemon rind. Add salt and pepper. Mix. ● Serve the lamb kebabs with pita bread warmed on the grill, grilled zucchinis, cherry tomatoes, chopped red onions and the preserved lemon sauce.

The perfect match
RED CÔTES DU RHÔNE

Lamb and red wine, a love match... It is in the nature of things and applies particularly well to red Côtes du Rhône. Fruity, smooth and pleasant, it needs thyme, garlic and spices to fully blossom. In a word, everything that a kebab has to offer.
Alternative: red Luberon.

Méditerranée

SALADE DE FIGUES, JAMBON DE PARME, MELON, FETA

Entrée

Pour 6 personnes

Préparation : 10 mn/Au frais : 15 mn

8 figues,
1 melon,
300 g de jeunes pousses de salade,
180 g de feta,
100 g de jambon de Parme.
<u>Pour la sauce :</u>
1 oignon frais ou 1 échalote,
1 c. à café de moutarde forte,
1 c. à café de miel,
2 c. à soupe de vinaigre de cidre,
4 c. à soupe d'huile d'olive,
sel, poivre du moulin.

● Lavez les figues, égouttez-les et coupez-les en quatre. ● Séparez le melon en deux, retirez les graines et coupez la chair en fines tranches ou en quartiers. ● Lavez les jeunes pousses de salade et essorez-les. Egouttez la feta et coupez-la en dés. ● Pelez et hachez l'oignon (ou l'échalote), mettez-le dans un saladier avec la moutarde, le miel, le vinaigre, l'huile, du sel, du poivre en remuant. Ajoutez la salade, la feta, les figues, le melon et le jambon coupé en lanières. ● Mélangez délicatement en soulevant les ingrédients et réservez au frais 15 mn avant de servir.

L'accord parfait
TAVEL

Figues, melon et jambon sont faits pour s'entendre. A ce mélange sucré-salé, il faut un rosé de caractère comme le Tavel. Ses arômes de fruits à noyau enrichiront la palette aromatique des mets, tandis que sa bouche puissante soutiendra l'ensemble.
Autre proposition : Côtes du Rhône rosé.

Mediterranean

FIG, PARMA HAM, MELON AND FETA SALAD

Dish

For 6 people

Preparation time: 10 mins/Standing time
in the fridge: 15 mins

8 figs,
1 melon,
10 oz tender, young lettuce leaves,
6 oz of feta,
3 $^{1/2}$ oz of Parma ham.
<u>For the sauce:</u>
1 fresh onion or 1 shallot,
1 teaspoon of hot mustard,
1 teaspoon of honey,
2 tablespoon of cider vinegar,
4 tablespoon of olive oil,
salt, ground pepper.

● Wash the figs, drain and cut them into quarters. ● Split the melon in half, remove the seeds and cut the flesh into fine strips or cubes. ● Wash and dry the tender, young lettuce leaves. Drain the feta and dice. ● Peel and chop the onion (or shallot) and place in a salad bowl with the mustard, the honey, the vinegar, the oil and salt and pepper while mixing. Add the lettuce, the feta, the figs, the melon and the ham cut into strips. ● Delicately mix while tossing the ingredients and put in the fridge for 15 mins before serving.

The perfect match
TAVEL

Figs, melon and ham are made for each other. And what is needed for this sweet and sour combination is a rosé with character, like Tavel. Its flavors of stoned fruits will further enrich the range of aromas of the dish while its robustness will underpin the combination.
Alternative: Côtes du Rhône rosé.

Méditerranée

TABOULĒ LIBANAIS

Plat

Pour 6 personnes

Préparation : 15 mn/Pas de cuisson

Repos : 15 mn minimum

300 g de boulgour fin,
3 tomates (ou 15 tomates-cerises),
1 concombre,
6 petits oignons frais (ou 1 oignon rouge),
le jus de 4 citrons, 6 c. à soupe d'huile d'olive,
1 gros bouquet de menthe,
1 gros bouquet de persil,
50 g de feta ou de fromage frais, sel, poivre.

● Lavez, coupez et épépinez les tomates, puis coupez-les en petits cubes. ● Lavez le concombre, épluchez-le (facultatif), coupez-le en deux, retirez les graines au centre puis détaillez-le en petits cubes. ● Otez les racines des oignons puis hachez-les. ● Lavez, séchez et ciselez menthe et persil. ● Dans un grand saladier, versez le jus de citron, l'huile d'olive, le concombre, du sel et du poivre. ● Versez le boulgour et mélangez à l'aide d'une fourchette. Ajoutez les oignons, les tomates, la feta émiettée grossièrement et les herbes. ● Mélangez et laissez reposer 15 mn minimum au frais.

L'accord parfait
CŌTES DU RHŌNE ROSĒ

Céréales et légumes frais, le taboulé raconte une Méditerranée éternelle. Il appelle un vin fruité et croquant, servi bien frais. Rien de mieux que le Côtes du Rhône rosé qui, en plus de ces qualités, apporte des arômes d'épices et un peu de structure tannique en bouche.
Autre proposition : Côtes du Rhône blanc.

Mediterranean

LEBANESE TABBOULEH

Dish

For 6 people

Preparation time: 15 mins/No cooking

Standing time: minimum 15 mins

10 oz fine bulgur,
3 tomatoes (or 15 cherry tomatoes),
1 cucumber,
6 scallions (or 1 red onion),
the juice of 4 lemons, 6 tablespoons of olive oil,
1 big bunch of mint,
1 big bunch of parsley,
2 oz feta or fromage frais, salt, pepper.

● Wash and cut the tomatoes and remove the seeds, then finely dice. ● Wash the cucumber, peel it (optional), cut it in half, remove the seeds from the middle and then finely dice. ● Remove the roots from the scallions and chop them. ● Wash, dry and chop the mint and the parsley. ● Pour the juice of the lemons, the olive oil, the cucumber, the salt and some pepper into a large salad bowl. ● Pour in the bulgur and mix with a fork. Add the scallions, the tomatoes, the roughly crumbled feta and the herbs. ● Mix and leave to stand for at least 15 mins in the fridge.

The perfect match
CŌTES DU RHŌNE ROSĒ

Made of cereals and fresh vegetables, tabbouleh tells of the timeless Mediterranean. It calls for a crisp and fruity wine, served nicely chilled. Nothing better than a Côtes du Rhône rosé that also brings with it the fragrance of spices and a slightly tannic structure.
Alternative: white Côtes du Rhône.

Méditerranée

TAJINE D'AGNEAU AUX PETITS POIS Ā LA MENTHE

Plat

Pour 4 personnes

Préparation : 10 mn/Cuisson : 1 h

1 kg de collier d'agneau coupé en morceaux,
600 g de petits pois surgelés
(ou 1 kg de petits pois frais en cosses),
4 gousses d'ail,
1 bouquet de menthe fraîche,
3 c. à soupe d'huile d'olive,
1 c. à café de curcuma (facultatif),
sel, poivre du moulin.

● Pelez, dégermez et coupez les gousses d'ail en lamelles. ● Lavez, séchez et effeuillez la menthe. Réservez quelques belles feuilles, hachez grossièrement les autres. ● Faites dorer les morceaux d'agneau dans l'huile d'olive en les poudrant de curcuma. Salez, poivrez, ajoutez la menthe hachée et l'ail. Couvrez et laissez mijoter 30 mn à couvert. ● Ensuite, couvrez l'agneau de petits pois et poursuivez la cuisson 20 mn à couvert. 10 mn avant la fin de la cuisson, mélangez délicatement. Si le tajine manquait de jus, versez un petit peu d'eau. ● Servez avec les feuilles de menthe fraîches réservées.

L'accord parfait
CROZES-HERMITAGE ROUGE

Toutes les saveurs du Maroc se retrouvent dans ce plat printanier qui appelle un vin complexe et puissant. Le Crozes-Hermitage possède les notes épicées et poivrées qui conviennent ainsi qu'une bouche gracieuse et vive, idéale pour accompagner l'agneau.
Autre proposition : Côtes du Rhône Villages rouge.

Mediterranean

TAJINE OF LAMB WITH PEAS AND MINT

Dish

For 4 people

Preparation time: 10 mins/Cooking time: 1 hr

2 lbs neck of lamb cut into pieces,
1 $^{1/4}$ lbs of frozen peas
(or 2 lbs of fresh garden peas in the pod),
4 cloves of garlic,
1 bunch of fresh mint,
3 tablespoons of olive oil,
1 teaspoon of turmeric (optional),
salt, ground pepper.

● Peel the garlic, remove the shoots and cut the cloves into strips. ● Wash, dry and strip the mint. Put a few large leaves to one side and coarsely chop the rest. ● Fry the pieces of lamb in olive oil until golden brown while sprinkling with the turmeric. Add salt and pepper and the chopped mint and garlic. Cover and allow to simmer for 30 mins. ● Then cover the lamb with peas and continue to cook with the lid on for 20 mins. 10 mins before the end mix delicately. If there is not enough juice in the tajine, pour in a little water. ● Serve with the fresh leaves of mint you set aside.

The perfect match
RED CROZES-HERMITAGE

All the savors of Morocco are to be found in this springtime dish that calls for a complex and robust wine. Crozes-Hermitage has just the notes of spice and pepper that are needed, as well as the gracefulness and vivacity that are ideal for accompanying lamb.
Alternative: red Côtes du Rhône Villages.

Méditerranée

TARTARE DE THON ET D'AUBERGINE À LA GRENADE

Entrée 👨‍🍳👨‍🍳👨‍🍳

Pour 4 personnes

Préparation : 1 h/Marinade : 15 mn

Cuisson : 5 mn

300 g de thon très frais,
1 petite aubergine violette,
1 petite grenade bien mûre,
1 c. à soupe de jus de citron vert, huile d'olive,
1 trait de sauce soja,
1 petit bouquet de coriandre,
1 poignée de roquette,
poivre, fleur de sel.

● Découpez l'aubergine et poêlez-la vivement quelques minutes à l'huile d'olive, puis réservez-la sur du papier absorbant. ● Coupez le thon en petits dés, saupoudrez-le de fleur de sel et réservez au frais. ● Egrainez la grenade et réservez-la au frais. ● Préparez la marinade en mélangeant 1 c. à soupe d'huile d'olive, un trait de sauce soja et le jus de citron vert. ● Réunissez le thon, l'aubergine et la grenade et arrosez-les de la marinade. Poivrez, salez légèrement, mélangez et réservez au frais 15 mn. ● Au moment de servir, ajoutez les feuilles de coriandre fraîche et de roquette et vérifiez l'assaisonnement. Dressez les tartares en cercles accompagnés de tranches de baguette toastées.

L'accord parfait
CÔTES DU RHÔNE BLANC

Tartare de thon et citron vert : ce plat rafraîchissant exige un vin blanc délicat d'une belle suavité. Tout en finesse, le Côtes du Rhône blanc lui apportera ses arômes floraux et fruités, ainsi que sa rondeur et sa vivacité. Une belle harmonie estivale !
Autre proposition : Ventoux blanc.

Mediterranean

TARTAR OF TUNA AND EGGPLANT WITH POMEGRANATE

Starter 👨‍🍳👨‍🍳👨‍🍳

For 4 people

Preparation time: 1 hr/Marinade: 15 mins

Cooking time: 5 mins

10 oz tuna fresh from the sea,
1 small purple eggplant,
1 small, ripe pomegranate,
1 tablespoon of lime juice, olive oil,
1 squirt of soy sauce,
1 small bunch of coriander,
1 handful of arugula,
pepper, flower of sea salt.

● Chop the eggplant and fry over a lively flame for a few minutes in olive oil, then put to one side on kitchen paper. ● Finely dice the tuna, sprinkle with flower of sea salt and set aside in the fridge. ● Remove the arils from the pomegranate and place in the fridge. ● Prepare the marinade by mixing 1 tablespoon of olive oil, a squirt of soy sauce and the juice of the lime. ● Put the tuna, the eggplant and the pomegranate together and pour on the marinade. Add pepper and lightly salt, mix and place in the fridge for 15 mins. ● Just before serving, add the leaves of fresh coriander and arugula and check the seasoning. Present the patties in a circle accompanied with slices of toasted baguette.

The perfect match
WHITE CÔTES DU RHÔNE

Tartar of tuna and limes: this refreshing dish calls for a delicate and very smooth white wine. Full of finesse, the white Côtes du Rhône will bring its floral and fruity aromas and its roundness and vivacity to the dish. A beautiful summer feast !
Alternative: white Ventoux.

Méditerranée

TARTE AUX FIGUES DU DOURO

Dessert

Pour 6-8 personnes

Préparation : 30 mn/Cuisson : 35 mn

Temps de repos : 30 mn

1 kg de figues vertes,
1 citron,
250 g de farine,
400 g de sucre,
50 g de beurre,
75 g de poudre d'amande,
10 amandes entières,
2 œufs + 1 jaune.

● Préparez la pâte. Mélangez la farine avec 50 g de sucre, le jaune d'œuf, le beurre et un peu d'eau froide, juste assez pour que la pâte se forme. Laissez reposer 30 mn. ● Nettoyez les deux tiers des figues (700 g environ). Otez les queues et coupez-les en morceaux. Pressez le citron. Faites cuire les figues avec le jus de citron et 300 g de sucre jusqu'à ce qu'elles soient confites, pendant 20 mn environ. ● Préchauffez le four th. 6/180°. Etalez la pâte dans un moule beurré, piquez-la avec une fourchette et faites-la cuire 20 mn. Otez-la du four. ● Mélangez la poudre d'amande avec 50 g de sucre et 2 œufs. Etalez sur le fond de tarte et faites cuire à nouveau 10 mn. Otez du four, étalez la compote de figues et disposez par-dessus des demi-figues fraîches et des amandes entières. Faites cuire au four 5 mn.

L'accord parfait
MUSCAT DE BEAUMES DE VENISE

Fruit du Midi, la figue appelle un muscat de Beaumes de Venise, vin doux naturel aux arômes de fleurs et d'agrumes teintés de quelques notes exotiques. Sa douceur et sa longueur en bouche en font le vin de dessert par excellence. Autre proposition : Côtes du Rhône blanc.

Mediterranean

FIG TART

Dessert

For 6 to 8 people

Preparation time: 30 mins/Cooking time: 35 mins

Standing time: 30 mins

2 $^{1/4}$ lbs green figs,
1 lemon,
9 oz flour,
14 oz sugar, 2 oz butter,
3 oz powdered almonds,
10 whole almonds,
2 eggs + 1 egg yolk.

● Prepare the dough. Mix the flour with 2 oz of sugar, the egg yolk, the butter and a little cold water, just enough for the dough to take shape. Leave to stand for 30 mins. ● Clean 2/3 of the figs (roughly 1$^{1/2}$ lbs). Remove the stalks and cut into pieces. Squeeze the lemon. Candy the figs in the lemon juice with 10 oz of sugar for about 20 mins. ● Preheat the oven to 360 F°. Roll out the dough in a buttered mould, prick with a fork and cook for 20 mins. Remove from the oven. ● Mix the powdered almonds with 2 oz of sugar and the 2 eggs. Spread the mixture on the pastry base and cook again for 10 mins. Remove from the oven and add the layer of candied figs and place fresh half figs and the whole almonds on top. Bake in the oven for 5 mins.

The perfect match
MUSCAT FROM BEAUMES DE VENISE

As a typical fruit from the South, figs just cry out for a Beaumes de Venise muscat, a naturally sweet wine with an aroma of flowers and citrus fruits and a hint of more exotic notes. Its sweetness and long finish make it the dessert wine par excellence.
Alternative: white Côtes du Rhône.

Méditerranée

THON PRESQUE CRU AUX TOMATES SEMI-CONFITES

Plat 👨‍🍳👨‍🍳

Pour 6 personnes

Préparation : 20 mn/Cuisson : 1 h

900 g de thon rouge dans le filet préparé en petit rôti,
6 branches de tomates-cerises,
1 bouquet de basilic effeuillé,
4 c. à soupe de sauce de soja,
1 c. à soupe de sucre en poudre,
le jus de 1/2 citron vert, 2 c. à soupe d'huile d'olive,
fleur de sel, poivre du moulin.

● Demandez à votre poissonnier de préparer le thon en 1 ou 2 petits rôtis, d'épaisseur uniforme (entre 8 et 10 cm). Préchauffez le four à 90°. ● Dans un plat à four huilé, disposez les branches de tomates-cerises lavées. Arrosez d'un filet d'huile d'olive, de 2 c. à soupe de sauce de soja, saupoudrez de sucre et poivrez légèrement. Enfournez pour 1 h, en veillant à ce que les branches des tomates ne brûlent pas (si c'est le cas, laissez la porte du four entrouverte). ● Pendant ce temps, faites chauffer de l'huile dans une sauteuse, et faites frire les feuilles de basilic petit à petit, puis posez-les sur du papier absorbant. ● 10 mn avant la fin de la cuisson des tomates, faites chauffer une poêle légèrement huilée et saisissez sur feu vif le rôti de thon pendant 3 à 4 mn. ● Otez-le de la poêle, réservez au chaud. ● Laissez la poêle sur feu moyen. Versez 2 c. à soupe de sauce de soja et le jus de citron vert, grattez les sucs de cuisson, réservez. ● Découpez le rôti en tranches et disposez-les dans les assiettes avec les tomates et le basilic. Arrosez du jus soja-citron et d'un filet d'huile d'olive, donnez un tour de moulin à poivre.

L'accord parfait
CORNAS ROUGE

Par sa texture et son goût puissant, le thon rouge se rapproche de la viande rouge. Une ressemblance qui permet de se tourner vers un rouge de caractère comme le Cornas. Assez tannique, sa générosité fera merveille et ses arômes se mêleront agréablement à ceux des tomates confites et du basilic.
Autre proposition : Crozes-Hermitage rouge.

Mediterranean

SEARED TUNA WITH CARAMELIZED TOMATOES

Dish 👨‍🍳👨‍🍳

For 6 people

Preparation time: 20 mins/Cooking time: 1 hr

2 lbs red tuna fillet prepared as a roast,
6 branches of cherry tomatoes,
1 bunch of stripped basil,
4 tablespoons of soya sauce,
1 tablespoon of powered sugar,
the juice of 1/2 lime, 2 tablespoons of olive oil,
flower of sea salt, ground pepper.

● Ask your fishmonger to prepare the tuna in the form of 1 or 2 small roasts of an even thickness (3 to 4 inches). Preheat the oven to 190 F°. ● Place the washed branches of tomatoes in an oiled oven tray. Trickle on olive oil, 2 table spoons of soy sauce, sprinkle with sugar and lightly pepper. Place in the oven for 1 hr, taking care that the branches of the tomatoes do not catch fire (if this happens, leave the oven door ajar). ● While they cook, heat up some oil in a deep fry pan and gradually fry the basil leaves, then place them on kitchen paper. ● 10 mins before the tomatoes are cooked, heat a lightly oiled pan and sear the tuna roast for 3 to 4 mins. ● Take it out of the pan and keep warm. ● Leave the pan on a medium flame. Pour in the 2 table spoons of soy sauce and the lime juice, deglaze the juices from the cooking and set aside. ● Slice the roast and serve the slices in plates with the tomatoes and the basil. Pour on the soya and lime mixture and a drizzle of olive oil and a twist of ground pepper.

The perfect match
RED CORNAS

Red tuna, with its texture and strong taste, is close to red meat. This similarity allows for the choice of a red with character, such as Cornas. Quite high in tannins, its generosity is a delight and its aromas will blend pleasantly with those of the candied tomatoes and basil.
Alternative: red Crozes-Hermitage.

Méditerranée

TORTILLAS DE BŒUF ÉPICÉ, HARICOTS VERTS AUX NOIX DE CAJOU

Plat 👨‍🍳👨‍🍳

Pour 6 personnes

Préparation : 20 mn/Cuisson : 15 mn

Marinade : 1 h à 3 h

6 tortillas, 2 oignons frais, 600 g de rumsteck,
1 c. à café de gelée de piment d'Espelette,
1 pincée de piment d'Espelette, 200 g de houmous,
1 poignée de feuilles de betterave,
600 g de haricots verts, 1 gousse d'ail écrasée,
3 c. à soupe de vinaigre de vin blanc,
2 c. à soupe d'huile de soja, 50 g de noix de cajou,
6 c. à soupe d'huile d'arachide, 1 filet d'huile d'olive.

● A l'aide d'un pinceau, enduisez le rumsteck de gelée de piment d'Espelette. Couvrez d'un film alimentaire et laissez mariner au frais de 1 h à 3 h. ● Faites cuire les haricots verts dans une grande quantité d'eau bouillante pendant 10 mn, ils doivent rester fermes. Egouttez, rincez à l'eau froide, égouttez à nouveau. ● Mixez les noix de cajou pour les réduire en petits morceaux. Faites-les ensuite dorer pendant 2 mn dans une poêle. ● Préparez l'assaisonnement des haricots verts avec les noix de cajou, la gousse d'ail écrasée, le vinaigre, l'huile de soja, l'huile d'arachide, du sel et du poivre. Versez l'assaisonnement sur les haricots verts et mélangez. ● Emincez les oignons. Lavez les feuilles de betterave. Disposez houmous, oignons et feuilles de betterave dans des coupelles, et les tortillas sur un plat. ● Faites chauffer une poêle arrosée d'un filet d'huile d'olive et saisissez rapidement le rumsteck 2 mn de chaque côté. Détaillez-le en lamelles, disposez-les dans un plat et saupoudrez de piment d'Espelette. ● Proposez tous les ingrédients à vos invités. Etalez 1 c. à soupe de houmous sur chaque tortilla, ajoutez des oignons, des feuilles de betterave et des lamelles de rumsteck et roulez la tortilla. Accompagnez de la salade de haricots verts aux noix de cajou.

L'accord parfait
GIGONDAS ROUGE

Ce plat à la mode, relevé d'épices, devra s'accompagner d'un vin puissant et généreux qui ne se laissera pas emporter par les aromates. Le riche bouquet de fruits et de kirsch du Gigondas sera à la hauteur, l'élégance en plus.
Autre proposition : Côtes du Rhône Villages rouge.

Mediterranean

SPICY BEEF TORTILLAS WITH GREEN BEANS AND CASHEW NUTS

Dish 👨‍🍳👨‍🍳

For 6 people

Preparation time: 20 mins/Cooking time: 15 mins

Marinade: 1 to 3 hours

6 tortillas, 2 fresh onions, 1 lb 5 oz rump steak,
1 teaspoon of pepper jelly,
1 pinch of pepper, 7 oz hummus,
1 handful of red beet leaves, 1 lb 5 oz green beans,
1 crushed clove of garlic, 3 tablespoons of white wine vinegar, 2 teaspoons of soya oil, 2 oz cashew nuts,
6 tablespoons of groundnut oil, 1 trickle of olive oil.

● Using a brush, coat the steak with the pepper jelly. Cover with food grade film and leave to marinate in a cool place for 1 to 3 hours. ● Cook the green beans in an ample quantity of boiling water for 10 mins; they should remain firm. Drain, rinse in cold water and drain again. ● Crush the cashew nuts into small pieces. Fry for 2 mins in a fry pan until golden. ● Prepare the seasoning for the green beans with the cashew nuts, the crushed clove of garlic, the vinegar, soya oil, groundnut oil and salt and pepper. Pour the seasoning over the green beans and toss. ● Slice the onions. Wash the red beet leaves. Arrange the hummus, the onions and the red beet leaves in small dishes and place the tortillas on a plate. ● Heat a fry pan with a drizzle of olive oil and quickly sear the rump steak for 2 mins on each side. Slice into strips and place them in a dish with a smattering of pepper. ● Be sure to offer all the ingredients to your guests. Spread 1 tablespoon of hummus on each tortilla, add some onions, red beet leaves and strips of meat and roll the tortilla. Serve with the green bean and cashew nut salad.

The perfect match
RED GIGONDAS

This fashionable and spicy dish needs to be accompanied by a robust and generous wine that will not be overwhelmed by the herbs. The rich nose of fruit and kirsch of the Gigondas will be up to the task and its elegance is an added bonus.
Alternative: red Côtes du Rhône Villages.

Méditerranée

VEAU MIJOTÉ À LA MAROCAINE

Plat

Pour 6 personnes

Préparation : 20 mn/Cuisson : 1 h 30

1 kg d'épaule (ou de flanchet) coupée en morceaux,
6 artichauts poivrades,
le jus de 1 citron,
1/2 citron non traité,
4 branches de thym frais,
4 c. à soupe d'huile d'olive,
6 gousses d'ail nouveau,
6 abricots secs,
1/2 c. à café de graines de cumin,
1 c. à café de piment,
sel, poivre du moulin.

● Préparez les artichauts. Versez le jus de citron dans une jatte d'eau froide. Otez les feuilles dures des poivrades en les cassant à la base, puis coupez le bout des autres pour ne garder que leur partie tendre. ● Ensuite, tranchez en deux chaque poivrade, enlevez le foin, s'il y en a. Lorsque les poivrades sont petits et jeunes, cette opération n'est pas nécessaire. ● Plongez-les au fur et à mesure dans l'eau citronnée. ● Lavez et séchez le thym. ● Coupez le demi-citron en petits morceaux. ● Faites chauffer l'huile dans une cocotte en fonte. ● Faites dorer les morceaux de viande avec les gousses d'ail. Ensuite, ajoutez le demi-citron en morceaux, les abricots secs, le cumin, le piment, le sel et le poivre. ● Posez les artichauts et le bouquet de thym sur la viande de veau, versez 2 c. à soupe d'eau, couvrez et laissez mijoter 90 mn. Si le jus de cuisson venait à manquer, ajoutez un peu d'eau en cours de cuisson. ● Au moment de servir, mélangez intimement tous les ingrédients.

L'accord parfait
VACQUEYRAS ROUGE

Acidité du citron, douce amertume de l'artichaut et rondeur de l'abricot, ce plat réclame un vin à la fois délicat et puissant. Il lui faut un Vacqueyras rouge dont les subtils arômes de fruits mûrs et d'épices se conjuguent à une bouche généreuse et charnue.
Autre proposition : Gigondas rouge.

Mediterranean

MOROCCAN STEWED VEAL

Dish

For 6 people

Preparation time: 20 mins/Cooking time: 1 1/2 hrs

2 lbs shoulder (or flank) cut into pieces,
6 artichokes,
the juice of 1 lemon,
1/2 fresh lemon,
4 sprigs of fresh thyme,
4 table spoons of olive oil,
6 cloves of new garlic,
6 dried apricots,
1/2 teaspoon of cumin seeds,
1 teaspoon of ground chili,
salt, ground pepper.

● Prepare the artichokes. Pour the juice of the lemon into a bowl of cold water. Break off the hard leaves of the artichokes, then cut the remaining stems to keep just the tender parts. ● Then slice each artichoke in half and remove the fibers, if there are any. If the artichokes are small and tender, this exercise is not necessary. ● Plunge them one by one into the lemon water. ● Wash and dry the thyme. ● Cut the lemon into small pieces. ● Heat the oil in a cast-iron pan. ● Fry the pieces of meat with the cloves of garlic until golden. Then add the diced lemon, the dried apricots, the cumin, the chili, the salt and the pepper. ● Place the artichokes and the bouquet of thyme on the veal, pour in 2 table spoons of water, cover and allow to stew for 90 mins. If the dish dries out during cooking, add a little water from time to time. ● Mix all the ingredients thoroughly before serving.

The perfect match
RED VACQUEYRAS

With the acidity of the lemon, the bittersweet artichoke and the ripeness of the apricot, this dish needs a wine that is both delicate and robust. It needs a red Vacqueyras whose subtle aromas of ripe fruit and spices combine with its generosity and full-bodiedness.
Alternative: red Gigondas.

Evasion en Asie

L'Asie, c'est avoir le grand lointain à sa porte, un mélange d'exotisme extrême et de déjà-vu. Ceux qui n'ont jamais goûté aux litchis à la rose, au tartare thaï ou au tende de tranche assorti d'un wok de légumes seront surpris par cette cuisine pleine de subtilité et de fraîcheur, que l'on savourera accompagnée d'un Côtes du Rhône blanc ou d'un prestigieux rosé de Tavel pour les plats plus épicés comme le cultissime Bo Bun.

Discover Asia

Asia, far-off lands on your doorstep, a mixture of the deeply exotic and déjà vu. Those who have never tasted rose petal lychees, Thai tartar or top rump with stir fried vegetables will be surprised by this subtle and refreshing cuisine, to be savored with a white Cotes du Rhône, or a prestigious Tavel rosé for the spicier dishes such as the legendary Bo Bun.

Asie

AVOCAT, CREVETTE ET PAMPLEMOUSSE EN SUSHI

Plat 👨‍🍳👨‍🍳👨‍🍳

Pour 4 personnes/16 sushis

Préparation : 20 mn/Cuisson : de 15 à 20 mn

Egouttage du riz : 1 h/Repos : 20 mn

1 avocat, 16 crevettes décortiquées,
1 pamplemousse rose, 300 g de riz japonais,
quelques brins de ciboulette, un peu de wasabi.
<u>Pour la sauce aigre-douce :</u>
4 c. à soupe de jus
de pamplemousse, 1 c. à café de Tabasco rouge,
1 c. à soupe de sirop de canne.

● Rincez le riz plusieurs fois jusqu'à ce que l'eau soit limpide. ● Laissez-le égoutter 1 h, puis versez-le dans une casserole, couvrez d'eau – 1 cm au-dessus de la surface du riz. Portez à ébullition, puis laissez cuire à feu doux jusqu'à ce que le riz absorbe toute l'eau. ● Retirez alors du feu, posez un linge sur la casserole, puis un couvercle, et laissez reposer pendant 20 mn. ● Pour la sauce, mélangez le jus de pamplemousse, le Tabasco et le sirop de canne durant la cuisson du riz. ● Pelez, puis coupez l'avocat en fines lamelles. Lavez et séchez les brins de ciboulette. Détachez et pelez délicatement les quartiers de pamplemousse. ● Prenez un peu de riz entre vos doigts et confectionnez une petite boulette oblongue. Aplatissez-la légèrement, pimentez-la d'un peu de wasabi. ● Posez dessus 1 lamelle d'avocat, 1 crevette et 1 quartier de pamplemousse. Maintenez le sushi avec un brin de ciboulette et réservez au réfrigérateur. Procédez ainsi pour les 16 sushis. Servez-les accompagnés de la sauce aigre-douce.

L'accord parfait
CÔTES DU RHÔNE VILLAGES BLANC

Ce raffinement tout japonais réclame un vin blanc vif et parfumé qui ne craint pas les épices. C'est le cas du Côtes du Rhône Villages blanc qui offre également de jolis arômes frais et floraux se mariant particulièrement bien avec le pamplemousse et l'avocat.
Autre proposition : Ventoux blanc.

Asia

AVOCADO, SHRIMP AND GRAPEFRUIT IN SUSHI

Dish 👨‍🍳👨‍🍳👨‍🍳

For 4 people/16 sushis

Preparation time: 20 mins/Cooking time: between 15 to 20 mins/Draining time for the rice: 1 hr

Standing time: 20 mins

1 avocado, 16 shelled shrimps,
1 pink grapefruit, 10 oz Japanese rice,
a few sprigs of chives, some wasabi.
<u>For the sweet and sour sauce:</u>
4 tablespoons of grapefruit juice,
1 teaspoon of red Tabasco, 1 tablespoon of cane syrup.

● Rinse the rice several times until the water is clear. ● Let it drain for 1 hr, then put it in a pan, cover with water $1/2$ inch above the surface of the rice. Bring to the boil and allow to cook over a low flame until the rice has absorbed all the water. ● Then remove from the heat, cover the pan with a cloth, put a lid on and leave it to stand for 20 mins. ● For the sauce: mix the grapefruit juice, the Tabasco and the cane syrup while the rice is cooking. ● Peel and cut the avocado into thin slices. Wash and dry the chives. Separate and delicately peel the grapefruit segments. ● Take some rice with your fingers and roll it into a small oblong ball. Slightly flatten it and season with a little wasabi. ● Place one slice of avocado, 1 shrimp and 1 segment of grapefruit on top. Tie the sushi with a sprig of chives and put aside in the fridge. Proceed the same way for the 16 sushis. Serve with the sweet and sour sauce on the side.

The perfect match
WHITE CÔTES DU RHÔNE VILLAGES

This typically refined Japanese dish requires a crisp and fragrant white wine that is not afraid of spices. The white Côtes du Rhône Villages offers appealing fresh and floral notes that go particularly well with the grapefruit and the avocado.
Alternative: white Ventoux.

Asie

BO BUN

Plat 👨‍🍳👨‍🍳

Pour 6 personnes

Préparation : 35 mn/Cuisson : 6 mn

Marinade : 30 mn

600 g de bœuf (filet ou rumsteck),
200 g de vermicelles de riz, 3 gousses d'ail,
3 tiges de citronnelle, 2 carottes (bio de préférence),
100 g de cacahuètes concassées,
quelques brins de menthe, quelques feuilles de laitue,
3 c. à soupe de sauce nuoc-mâm, 2 c. à soupe d'huile,
15 cl de sauce pour nems.

● Demandez au boucher de couper la viande de bœuf en fines lamelles. ● Epluchez l'ail. Ecrasez l'une des gousses dans le presse-ail et émincez grossièrement les autres. Retirez les feuilles dures de la citronnelle et coupez le reste en fines rondelles. ● Dans un plat creux, déposez la viande, recouvrez d'ail, de citronnelle, de nuoc-mâm et d'huile. Mélangez, couvrez et laissez mariner 30 mn. ● Lavez les carottes, coupez leurs extrémités, et passez-les à la râpe à gros trous. ● Lavez puis séchez la menthe et la laitue. Coupez les feuilles de laitue en lanières. Effeuillez et ciselez la menthe. ● Faites bouillir un grand volume d'eau salée. Plongez-y les vermicelles de riz et laissez cuire 3 ou 4 mn (selon leur marque). Egouttez-les et passez-les sous l'eau froide. Répartissez-les dans 6 bols, accompagnés des carottes râpées, de la menthe et de la laitue. ● Faites cuire rapidement la viande dans une poêle sur feu vif, puis répartissez-la dans les bols. Filtrez la marinade, versez-la sur le contenu des bols et parsemez de cacahuètes. La sauce pour nems reste à part.

L'accord parfait
CÔTES DU RHÔNE ROSÉ

Pour ce classique de la cuisine vietnamienne, rien de tel qu'un Côtes du Rhône rosé. Ses arômes fruités et épicés répondront aux saveurs de la menthe et de la cacahuète, tandis que sa jolie structure en bouche soutiendra la dégustation du bœuf et des vermicelles.

Asia

BO BUN
(BEEF SALAD WITH RAW VEGETABLES)

Dish 👨‍🍳👨‍🍳

For 6 people

Preparation time: 35 mins/Cooking time: 6 mins

Marinade: 30 mins

1 1/4 lbs beef (fillet or rump steak),
7 oz rice vermicelli, 3 garlic cloves,
3 sticks of lemongrass, 2 carrots (preferably organic),
3 1/2 oz crushed peanuts,
A few sprigs of mint, a few lettuce leaves,
3 tablespoons of fish sauce, 2 tablespoons of oil,
5 fl oz of sauce for nems.

● Ask your butcher to cut the meat into thin slices. ● Peel the garlic. Crush one of the cloves in a garlic press and coarsely chop the others. Remove the hard leaves of the lemongrass and cut the rest into thin slices. ● Put the meat in a bowl, cover with garlic, lemongrass, the nuoc-mâm and the oil. Mix together, cover and leave to marinade for 30 mins. ● Wash the carrots, cut off the ends and grate through the large holes of the grater. ● Wash and dry the mint and the lettuce. Cut the lettuce leaves into strips. Strip and snip the mint. ● Bring a good volume of salted water to the boil. Plunge the rice vermicelli and allow to cook for 3 or 4 mins (according to the brand). Drain them and put them under a cold tap. Divide them up between six bowls, adding the grated carrots, the mint and the lettuce. ● Quickly fry the meat in a fry pan over a high flame and divide it between the bowls. Filter the marinade, pour it over the contents of the bowls and sprinkle with the peanuts. Serve the sauce for nems on the side.

The perfect match
CÔTES DU RHÔNE ROSÉ

For this classic Vietnamese dish, nothing goes quite as well as a Côtes du Rhône rosé. Its fruity and spicy aromas complement the taste of the mint and the peanuts, whereas its full-bodied structure enhances the taste of the beef and the rice vermicelli.

Asie

CREVETTES SAUTÉES AUX LÉGUMES

Plat 👨‍🍳👨‍🍳

Pour 4 personnes

Préparation : 10 mn/Cuisson : 10 mn

450 g de crevettes surgelées,
2 oignons,
250 g de cocos plats,
250 g de pois gourmands,
150 g de tofu,
1 c. à café d'huile d'olive,
persil plat, coriandre, basilic,
gomasio (sel aux graines de sésame),
poivre du moulin.

● Préparez tous les légumes : pelez et émincez les oignons, effilez les cocos plats et les pois gourmands, et lavez-les. ● Faites chauffer l'huile d'olive dans le wok, ajoutez les crevettes surgelées et les légumes. Poivrez et faites cuire sur feu vif pendant 10 mn en remuant souvent. ● Au tout dernier moment, ajoutez les herbes ciselées, le tofu coupé en morceaux puis saupoudrez de gomasio. Servez aussitôt.

L'accord parfait
TAVEL

La chair ferme et délicate des crevettes s'harmonisera avec le Tavel. Véritable rosé de gastronomie, ses arômes de fruits à noyau et d'amande grillée conviennent en effet merveilleusement bien aux saveurs de la cuisine asiatique.
Autre proposition : Côtes du Rhône rosé.

Asia

STIR FRIED SHRIMPS WITH VEGETABLES

Dish 👨‍🍳👨‍🍳

For 4 people

Preparation time: 10 mins/Cooking time: 10 mins

1 lb frozen shrimps,
2 onions,
9 oz of mangetouts,
9 oz of snow peas,
5 oz of tofu, 1 teaspoon of olive oil,
Flat leaf parsley, coriander, basil,
gomasio (salt with sesame seeds),
ground pepper.

● Prepare all the vegetables: peel and chop the onions, trim the mangetouts and the snow peas and wash them. ● Heat the olive oil in the wok, add the frozen shrimps and the vegetables. Add pepper and cook over a high flame for10 mins, stirring regularly. ● At the very last minute add the chopped herbs, the tofu cut into pieces and sprinkle with the gomasio. Serve straight away.

The perfect match
TAVEL

The firm and delicate flesh of the shrimps goes perfectly with Tavel. A true gourmet's rosé, its aromas of stoned fruits and roast almonds are a wonderful fit with the flavors of Asian cuisine.
Alternative: Côtes du Rhône rosé.

Asie

CURRY DE DINDE AUX NOIX DE CAJOU ET RIZ BASMATI AU SAFRAN

Plat

Pour 4 personnes

Préparation : 20 mn/Cuisson : 40 mn

Pour le curry :
800 g de filet de dinde, 100 g de noix
de cajou, 2 c. à café d'huile végétale, 1 oignon,
1 bâton de cannelle, 500 g de coulis de tomate, 1 yaourt
nature, 1 c. à café de curcuma, 4 c. à café de massala,
1 c. à café de coriandre, 1/2 c. à café de sel,
50 cl de lait de coco, feuilles de coriandre fraîche.
Pour le riz :
400 g de riz long basmati, 1 oignon jaune,
1 c. à soupe d'huile d'arachide, 2 pincées de safran.

● Pour le curry : faites chauffer l'huile dans une marmite. Epluchez l'oignon, tranchez-le. Faites-le revenir avec le bâton de cannelle, laissez dorer à feu doux, puis ajoutez le coulis de tomate et laissez cuire pendant 5 mn. ● Dans un bol, battez le yaourt avec le curcuma, le massala, la coriandre en poudre et le sel. ● Ajoutez le mélange à la marmite et laissez mijoter pendant 15 mn. ● Ajoutez le filet de dinde découpé en lamelles, les noix de cajou et le lait de coco. Laissez mijoter durant 20 mn pour obtenir une sauce épaisse. Avant de servir, garnissez de coriandre fraîche. ● Pour le riz : épluchez l'oignon et hachez-le finement. Dans une sauteuse, faites-le dorer dans l'huile. ● Lavez le riz. Versez-le dans la sauteuse et remuez 1 mn. Arrosez de 30 cl d'eau, ajoutez le safran. ● Salez, poivrez et, à feu doux, laissez le liquide s'évaporer en remuant. Ajoutez 30 cl d'eau et laissez cuire à découvert jusqu'à ce que le riz absorbe le liquide.

L'accord parfait
VACQUEYRAS ROUGE

Mélange d'épices relevées, le curry doit épouser un rouge de caractère. Le Vacqueyras n'en manque pas. Son bouquet de fruits mûrs et d'épices conviendra également au safran et sa puissance en bouche tiendra tête aux multiples parfums de ce plat.
Autre proposition : Beaumes de Venise rouge.

Asia

TURKEY CURRY WITH CASHEW NUTS AND SAFFRON BASMATI RICE

Dish

For 4 people

Preparation time: 20 mins/Cooking time: 40 mins

For the curry:
1 lb 12 oz of turkey fillet, $3^{1/2}$ oz of cashew nuts,
2 teaspoons of vegetable oil, 1 onion, 1 cinnamon stick,
18 oz of tomato coulis, 1 plain yoghurt, 1 teaspoon of
turmeric, 4 teaspoons of massala,
1 teaspoon of coriander, 1/2 teaspoon of salt,
2 cups of coconut milk, fresh coriander leaves.
For the rice:
14 oz of long grain basmati rice, 1 yellow onion,
1 table spoon of groundnut oil, 2 pinches of saffron.

● For the curry: heat the oil in a large cook pot. Peel and slice the onion. Fry it with the cinnamon stick until golden brown over a low flame, add the tomato coulis and cook for another 5 mins. ● Beat the yoghurt and the turmeric in a bowl with the massala, the coriander powder and the salt. ● Put the mixture into the large cook pot and allow to simmer for 15 mins. ● Add the thinly sliced turkey fillet, cashew nuts and the coconut milk. Simmer for 20 mins to obtain a thick sauce. Before serving, garnish with the fresh coriander. ● For the rice: peel and finely chop the onion. Fry the onion in a fry pan until golden brown. ● Wash the rice. Pour the rice in the fry pan and stir for 1min. Pour $2^{1/2}$ cups water over it and add the saffron. ● Add salt and pepper and, over a low flame, let the liquid evaporate while stirring. Add $2^{1/2}$ cups of water and cook without the lid until the rice has absorbed all the liquid.

The perfect match
RED VACQUEYRAS

A mixture of hot spices, curry needs to be accompanied by a red with character. Vacqueyras has plenty. Its bouquet of ripe fruit and spices also goes well with saffron and its full-bodiedness will stand up well to the many fragrances of the dish.
Alternative: red Beaumes de Venise.

Asie

FILETS SAUTÉS AUX LÉGUMES FAÇON THAÏ

Plat

Pour 4 personnes

Préparation : 10 mn/Cuisson : 10 mn

400 g de filet mignon de porc,
150 g de mélange de riz et de légumes secs
(riz thaï, lentilles vertes, lentilles rouges, soja),
200 g de petits bouquets de brocoli,
200 g de carottes râpées,
2 c. à soupe de noix de cajou.

Pour la marinade :
4 c. à soupe de sauce soja,
2 c. à soupe d'huile de sésame,
2 c. à soupe de miel.

● Pour la marinade : mélangez, dans un bol, la sauce soja, l'huile de sésame et le miel. ● Coupez le filet mignon de porc en lanières de 1 cm d'épaisseur. ● Faites mariner la viande dans la préparation sauce soja-sésame-miel. ● Pendant ce temps, faites cuire le mélange de riz et de légumes secs dans une casserole d'eau bouillante salée durant 9 mn. ● Au bout de 5 mn, ajoutez le brocoli et poursuivez la cuisson. ● Pendant ce temps, égouttez grossièrement la viande puis faites-la dorer dans une poêle antiadhésive sur feu vif, en remuant souvent pendant 2 mn. ● Lorsque le mélange riz-légumes est cuit, égouttez et versez le tout dans la poêle avec la viande. Mouillez avec 2 c. à soupe de marinade et mélangez délicatement. ● Ajoutez les carottes râpées et les noix de cajou. Mélangez délicatement et servez.

L'accord parfait
COTEAUX DU TRICASTIN ROUGE

Du miel et du soja, du porc sauté et des carottes fraîches, ce plat joue sur les contrastes sucré-salé, chaud-froid... Pour ne pas en rajouter dans les oppositions, il lui faudra un vin tout en rondeur, à la fois vif et chaleureux, comme le Coteaux du Tricastin rouge.
Autre proposition : Côtes du Rhône rouge.

Asia

STIR FRIED FILLETS WITH THAI STYLE VEGETABLES

Dish

For 4 people

Preparation time: 10 mins/Cooking time: 10 mins

14 oz of filet mignon of pork,
5 oz of mixed rice and dried organic vegetables
(Thai rice, green lentils, red lentils, soy),
7 oz of broccolis florets,
7 oz of grated carrots,
2 table spoons of cashew nuts.

For the marinade:
4 tablespoons of soy sauce,
2 tablespoons of sesame oil,
2 tablespoons of honey.

● For the marinade : mix the soy sauce, the sesame oil and the honey in a bowl. ● Cut the filet mignon of pork into strips of 1/2 inch thick. ● Marinade the meat in the soy sauce-sesame-honey mixture. ● Meanwhile, cook the mixture of rice and dried vegetables in a pot of salted boiling water for 9 mins. ● After 5 mins add the broccoli and continue to cook. ● Meanwhile, roughly drain the meat and let it brown in a non-stick fry pan over a high flame for 2 mins, stirring regularly. ● When the rice-vegetable mix is cooked, drain it and pour into the fry pan with the meat. Wet with 2 tablespoons of marinade and delicately stir. ● Add the grated carrots and the cashew nuts. Mix delicately and serve.

The perfect match
RED COTEAUX DU TRICASTIN

Honey and soy sauce, stir fried pork and fresh carrots, this dish plays on the contrasts between sweet and sour and hot and cold... To avoid adding further contrasts, it will need a well rounded, brisk and hearty wine, such as a red Coteaux du Tricastin.
Alternative: red Côtes du Rhône.

Asie

LITCHIS À LA ROSE

Dessert

Pour 4 personnes

Préparation : 10 mn/Cuisson : 5 mn

Repos : 30 mn

32 litchis frais,
2 c. à soupe de pétales
de rose séchés,
2 c. à soupe de sucre,
4 dragées,
eau de rose (facultatif).

● Pelez, dénoyautez les litchis. ● Portez 10 cl d'eau à ébullition, puis faites-y infuser les pétales de rose 10 mn à couvert. ● Ensuite filtrez l'infusion, mélangez-la avec le sucre et versez-la sur les litchis. ● Laissez macérer 30 mn au réfrigérateur. ● Servez les litchis rafraîchis parsemés de dragées concassées.

L'accord parfait
MUSCAT DE BEAUMES DE VENISE

Un seul vin est capable de répondre à la saveur exotique de ce dessert fruité fleuri : le muscat de Beaumes de Venise. Ses arômes exubérants de fleurs et d'agrumes se mêleront tout en douceur aux parfums des litchis et des pétales de rose. Un vrai bonheur !
Autre proposition : Tavel.

Asia

ROSE PETAL LYCHEES

Dessert

For 4 people

Preparation time: 10 mins/Cooking time: 5 mins

Standing time: 30 mins

32 fresh lychees,
2 dried rose petals,
2 table spoons of sugar,
4 sugared almonds,
rose water (optional).

● Peel and stone the lychees. ● Bring 3 fl oz water to the boil and put the petals in to infuse for 10 mins and cover. ● Then filter the infusion, mix it with the sugar and pour it over the lychees. ● Let it marinate for 30 mins in the fridge. ● Serve the cooled lychees sprinkled with the crushed, sugared almonds.

The perfect match
MUSCAT FROM BEAUMES DE VENISE

You need a wine capable of rising to the challenge of the exotic flavor of this fruit and flower dessert : the Beaumes de Venise. Its extravagant aromas of flowers and citrus fruit will gently blend with the fragrance of the lychees and the rose petals. True happiness !
Alternative: Tavel.

Asie

POULET AU CURRY

Plat ♨

Pour 4 personnes

Préparation : 15 mn/Cuisson : 1 h 30 mn

5 blancs de poulet fermier,
2 oignons,
2 gousses d'ail,
1 boîte de lait de coco, curry,
1/2 bouquet de coriandre séchée,
3 ou 4 c. à soupe d'huile d'olive,
sel, poivre.

● Dans une sauteuse, faites revenir les oignons émincés dans 2 c. à soupe d'huile d'olive. Retirez-les. ● Dans la même sauteuse, ajoutez les blancs de poulet. Faites-les dorer (au besoin, ajoutez 1 c. à soupe d'huile d'olive) sur toutes les faces. ● Sortez-les, égouttez-les. ● Versez 1 c. à soupe d'huile d'olive dans la sauteuse, remettez les oignons cuits, les blancs de poulet et les gousses d'ail pelées et écrasées. Versez 1 boîte de lait de coco, le curry, salez et poivrez. ● Ajoutez 1 verre d'eau et laissez cuire à couvert 30 mn à feu moyen. Baissez le feu, ôtez le couvercle, et laissez mijoter à feu doux 30 mn. ● Rectifiez l'assaisonnement et, hors du feu, ajoutez la coriandre lavée, séchée et coupée grossièrement.

L'accord parfait
CROZES-HERMITAGE ROUGE

Grâce à ses puissantes notes épicées et son fruité intense, le Crozes-Hermitage rouge se mariera avec les arômes si particuliers du curry, tout en apportant la structure souple qui convient à la volaille.
Autre proposition : Ventoux rouge.

Asia

CHICKEN CURRY

Dish ♨

For 4 people

Preparation time: 15 mins

Cooking time: 1 hrs 1/2

5 free range chicken breasts,
2 onions,
2 cloves of garlic,
1 tin of coconut milk, curry,
1/2 bunch of dry coriander,
3 or 4 tablespoons of olive oil,
salt, pepper.

● Fry the 2 chopped onions in a deep fry pan in 2 tablespoons of olive oil. Take them out. ● In the same deep fry pan, add the chicken breasts. Let them brown (if necessary add 1 tablespoon of olive oil) on all sides. ● Take them out and drain them. ● Pour 1 tablespoon of olive oil in the deep fry pan, put back the cooked onions, the chicken breasts and the peeled and crushed garlic. Pour in the tin of coconut milk, the curry and salt and pepper. ● Add 1 glass of water and let it cook covered for 30 mins at medium heat. Lower the flame, remove the lid and let it simmer over a low flame for another 30 mins. ● Check the seasoning, remove from the heat and add the washed, dried and coarsely chopped coriander.

The perfect match
RED CROZES-HERMITAGE

Thanks to its strong spicy notes and its intense fruitiness, the red Crozes-Hermitage will go perfectly with the unique flavors of the curry, while providing the smooth structure that goes so well with poultry.
Alternative: red Ventoux.

Photo Alain Gelberg/Recette Sandrine Giacobetti et Marion Beilin.

Asie

POULET PANĒ AUX CACAHUĒTES WASABI

Plat

Pour 4 personnes

Préparation : 15 mn/Cuisson : 15 mn

4 blancs de poulet, 150 g de cacahuètes au wasabi, 4 c. à soupe de farine, 1 œuf battu, 2 c. à soupe d'huile d'arachide.
<u>Pour la sauce :</u> 1 c. à soupe de sauce soja, 1 citron vert, 2 c. à soupe d'huile de cacahuète grillée, 1 pincée de piment fort.

● Hachez finement les cacahuètes au wasabi et mettez-les dans une assiette. ● Placez la farine dans une assiette, l'œuf battu dans une autre. ● Passez les blancs de poulet un par un dans la farine, puis dans l'œuf battu et enfin dans les cacahuètes hachées. ● Faites chauffer 2 c. à soupe d'huile d'arachide et faites revenir les blancs de poulet 5 mn de chaque côté. ● Terminez la cuisson 5 mn au four préchauffé à 180 °C (th. 6). ● Servez avec du riz et des légumes vapeur assaisonnés avec le mélange de sauce soja, du jus de 1 citron vert, d'huile de cacahuète grillée et de la pincée de piment fort.

L'accord parfait
GIGONDAS ROUGE

Ce plat aiguisé par le wasabi et le piment trouvera un allié pertinent avec le Gigondas. Son ample bouquet de fruits noirs, de kirsch et de poivre, sa puissante structure tannique sauront s'harmoniser avec les saveurs relevées de la recette. Autre proposition : Vinsobres rouge.

Asia

CHICKEN FRIED IN BREADCRUMBS WITH WASABI PEANUTS

Dish

For 4 people

Preparation time: 15 mins/Cooking time: 15 mins

4 chicken breasts, 5 oz wasabi peanuts, 4 tablespoons of flour, 1 beaten egg, 2 tablespoons of grilled groundnut oil.
<u>For the sauce:</u> 1 tablespoon of soy sauce, 1 lime, 2 tablespoons of groundnut oil, 1 pinch of hot chili.

● Finely chop the wasabi peanuts and put them on a plate. ● Put the flour in a plate and the beaten egg in another. ● Put the chicken breasts in the flour one by one, then in the beaten egg and finally in the chopped wasabi peanuts. ● Heat 2 tablespoons of grilled groundnut oil and fry the chicken breasts for 5 mins on each side. ● Finish cooking for 5 mins in a preheated oven to 360 F°. ● Serve with steamed rice and vegetables seasoned with the soy sauce mix, the lime juice, grilled groundnut oil and the pinch of hot chili.

The perfect match
RED GIGONDAS

This dish, sharpened by the wasabi and the chili, will find the right partner in Gigondas. Its generous nose of black fruit, kirsch and pepper and its strong tannic structure will be in perfect harmony with the spicy flavors of this recipe. Alternative: red Vinsobres.

Asie

ROULEAUX DE PRINTEMPS

Plat 👨👨👨

Pour 2 personnes

Préparation : 20 mn/Pas de cuisson

2 grandes feuilles de riz,
8 crevettes,
1/2 petite mangue,
1 petite courgette jeune,
1/2 mini-concombre,
1/2 carotte, 4 radis roses,
50 g de graines germées.
<u>Pour la sauce aigre-douce :</u>
1 c. à soupe de Tabasco,
1 c. à soupe de vinaigre balsamique,
2 c. à soupe de miel d'acacia.

● Posez les feuilles de riz entre deux linges humides afin de les ramollir. ● Décortiquez les queues des crevettes, fendez-les en deux dans leur longueur. ● Pelez la mangue et émincez-la. ● Détaillez en bâtonnets la courgette et le concombre. ● Pelez la carotte et détaillez-la en lamelles avec un économe. Lavez, puis coupez les radis en fines rondelles. ● Décollez les feuilles de riz des linges avec précaution, puis posez-les sur une assiette. Etalez un lit de mangue sur une feuille. Posez dessus des crevettes, des graines germées, des lamelles de carotte, des dés de courgette et de concombre et des rondelles de radis, puis couvrez à nouveau de mangue. ● Roulez la feuille de riz en rabattant les côtés. Maintenez le rouleau bien serré et couvrez d'un film alimentaire. Recommencez avec la seconde feuille de riz et gardez au frais. ● Mélangez les ingrédients destinés à la sauce aigre-douce. Servez les rouleaux avec la sauce.

L'accord parfait
CÔTES DU RHÔNE ROSÉ

Croquants, moelleux et parfumés, les rouleaux de printemps ont conquis les gourmands. Leurs saveurs éclectiques les conduisent naturellement vers un rosé des Côtes du Rhône. Avec sa couleur pastel, ses arômes de petits fruits rouges et son fruité gourmand, il épouse le tempérament fougueux de la cuisine orientale.
Autre proposition : Côtes du Rhône blanc.

Asia

SPRING ROLLS

Dish 👨👨👨

For 2 people

Preparation time: 20 mins/No cooking

2 large sheets of rice paper,
8 shrimps,
1/2 a small mango,
1 small new zucchini,
1/2 a mini-cucumber,
1/2 a carrot,
4 radishes,
2 oz germinated seeds.
<u>For the sweet and sour sauce:</u>
1 tablespoon of Tabasco,
1 tablespoon of balsamic vinegar,
2 tablespoons of acacia honey.

● Put the sheets of rice paper between two damp cloths to soften. ● Remove the tails from the shrimps and split them in half lengthwise. ● Peel and cut the mango into thin strips. ● Cut the zucchini and the cucumber into sticks. ● Peel the carrot and make thin strips using a potato peeler. Wash and then cut the radishes into thin round slices. ● Carefully remove the sheets of rice paper from the damp cloth and place them on a plate. Make a bed of mango on one sheet. Place some of the shrimps, germinated seeds, strips of carrot, diced zucchini and cucumber and slices of radish on it and cover with another layer of mango. ● Roll the sheet of rice paper, tucking in the edges. Keep the spring roll tightly rolled and cover with food grade film. Repeat the process with the second sheet of rice paper and store in the fridge. ● Mix the ingredients for the sweet and sour sauce. Serve the spring rolls with the sauce.

The perfect match
CÔTES DU RHÔNE ROSÉ

Crispy, soft in the centre and fragrant, spring rolls will always win over those who really enjoy food. Their variety of flavors leads unquestioningly to a rosé from the Côtes du Rhône. With its pastel color, its aroma of red berries and its extravagant fruitiness, it goes perfectly with the fiery temperament of Asian cuisine.
Alternative: white Côtes du Rhône

Asie

SAUMON MARINĒ À LA CITRONNELLE

Plat 🍳🍳

Pour 12 personnes

Préparation : 25 mn/Marinade : 12 h

1 filet de saumon de 1,7 kg, 5 tiges de citronnelle,
10 feuilles de basilic, 100 g de gingembre frais,
100 g de sel, 80 g de sucre, 1 c. à soupe d'huile.
<u>Pour la sauce à la moutarde :</u>
2 œufs durs, 100 g de moutarde douce, 100 g de sucre,
3 c. à soupe de vinaigre de vin blanc,
10 cl d'huile, 1 bouquet d'aneth.

● Lavez, essuyez le saumon et ôtez les grosses arêtes.
● Préparez la citronnelle : ôtez les feuilles flétries et la moitié supérieure des tiges puis coupez en petits tronçons fins. ● Lavez et essuyez les feuilles de basilic, coupez-les en lanières. ● Pelez le gingembre et coupez-le en lamelles. ● Dans un saladier, mélangez le gingembre avec la citronnelle, le basilic, le sel et le sucre.
● Répartissez la moitié du mélange dans un plat, posez le filet de saumon dessus (la peau en dessous). Recouvrez avec le reste de sel aromatisé. ● Couvrez le poisson d'un film alimentaire et laissez-le mariner 12 h au réfrigérateur. ● Sortez le saumon du réfrigérateur puis ôtez le sel. Lavez le poisson sous un filet d'eau froide, essuyez-le avec du papier absorbant et, une fois bien sec, badigeonnez-le d'huile.
● Préparez la sauce : déposez les jaunes d'œufs hachés grossièrement dans un récipient haut. Ajoutez la moutarde, le sucre, le vinaigre et l'huile. Mixez le tout. ● Lavez, séchez et effeuillez l'aneth. Hachez finement les feuilles et incorporez-les à la sauce. ● Emincez le poisson en lamelles et servez-le avec la sauce.

L'accord parfait CONDRIEU

Le cépage viognier procure au Condrieu de puissants arômes de fleurs et d'abricot, ainsi qu'une belle rondeur, qui conviendront à ce saumon mariné. Sans compter que son acidité mesurée tempérera celle de la citronnelle.
Autre proposition : Saint-Péray blanc.

Asia

SALMON IN LEMONGRASS MARINADE

Dish 🍳🍳

For 12 people

Preparation time: 25 mins/Marinading time: 12 hrs

1 4 lb salmon fillet, 5 sticks of lemongrass,
10 leaves of basil, $3^{1/2}$ oz fresh ginger,
$3^{1/2}$ oz salt, 3 oz sugar, 1 tablespoon of oil.
<u>For the mustard sauce:</u>
2 cooked eggs, $3^{1/2}$ oz of mild mustard, $3^{1/2}$ oz sugar,
3 tablespoons of white wine vinegar,
3 fl oz oil, 1 bunch of dill.

● Wash and dry the salmon, remove all the bones.
● Prepare the lemongrass: take out all the withered leaves and the top halves of the sticks and cut into small fine sections. ● Wash and dry the basil leaves, cut them into strips. ● Peel and cut the ginger into slices.
● Mix the ginger and the lemongrass in a bowl with the basil, salt and sugar. ● Spread half the mixture in a dish and put the salmon fillet in skin down. Cover with the rest of the mixture. ● Cover with food grade film and let it marinade in the fridge for 12 hrs. ● Take the salmon out of the fridge and remove the salt. Rinse the fish under the cold water tap, dry in kitchen paper and, when dry, brush with oil. ● Prepare the sauce: put the egg yolks coarsely beaten in a high-sided bowl. Add the mustard, the sugar, the vinegar and the oil. Mix together. ● Wash, dry and strip the dill. Finely chop the leaves and mix them in the sauce. ● Cut the salmon fillet into thin slices and serve with the sauce.

The perfect match CONDRIEU

The Viognier grape variety gives Condrieu its charming aroma of flowers and apricot as well as a certain roundness that will go well with the marinated salmon. Not to mention that its slight acidity will help to temper the taste of the lemongrass.
Alternative: white Saint-Péray.

Asie

SAUTÉ DE PORC AU SOJA

Plat

Pour 4 personnes

Préparation : 5 mn/Cuisson : 20 mn

1 filet mignon de porc (500 g),
1 oignon,
1 aubergine (250 g),
150 g de riz,
1 c. à café de miel,
4 c. à soupe de sauce soja,
1 c. à soupe d'huile d'olive,
sel, poivre du moulin.

● Coupez la viande de porc en morceaux. Pelez et hachez l'oignon. Lavez l'aubergine et coupez-la en dés. ● Faites chauffer l'huile d'olive dans le wok, faites revenir la viande et l'oignon sur feu vif pendant 2 mn. Ajoutez le riz et l'aubergine. Faites sauter encore pendant 5 mn. ● Ajoutez le miel, la sauce soja et 2 verres d'eau, puis laissez cuire sur feu vif pendant 13 mn. ● Salez et poivrez. Servez.

L'accord parfait
LIRAC ROUGE

Enveloppée d'une carapace caramélisée, la chair de ce sauté de porc encore fondante réclame un vin rouge à la fois fruité, ample et charnu. Le Lirac rouge possède ces qualités avec sa belle robe grenat, son bouquet de fruits rouges et sa solide structure tannique.
Autre proposition : Costières de Nîmes rosé.

Asia

STIR FRIED PORK

Dish

For 4 people

Preparation time: 5 mins/Cooking time: 20 mins

1 filet mignon of pork (1 lb),
1 onion,
1 eggplant (9 oz),
5 oz rice,
1 teaspoon of honey,
4 tablespoons of soy sauce,
1 tablespoon of olive oil,
salt, ground pepper.

● Cut the pork meat into pieces. Peel and chop the onions. Wash the eggplant and dice it. ● Heat the olive oil in the wok and fry the meat and the onion on a high flame for 2 mins. Add the rice and the eggplant. Continue to fry for another 5 mins. ● Add the honey, the soy sauce and 2 glasses of water and cook over a high flame for 13 mins. ● Add salt and pepper. Serve.

The perfect match
RED LIRAC

Enveloped in its caramelized shell, the tender piece of pork just asks for a red wine that is fruity, big and generous. Red Lirac has all of these qualities with its ruby red color, a nose of red fruit and a solid tannic structure.
Alternative: Costières de Nîmes rosé.

Asie

TARTARE THAÏ ALLER-RETOUR

Plat 👨‍🍳👨‍🍳

Pour 4 personnes

Préparation : 5 mn/Cuisson : 2 mn

600 g de bœuf haché,
2 gousses d'ail,
2 échalotes pelées,
1 bouquet de coriandre fraîche,
2 branches de basilic thaï ou de basilic français,
3 branches de citronnelle fraîche,
2 c. à café de gingembre frais râpé,
4 c. à café de cumin en poudre,
2 c. à café de coriandre en poudre,
2 c. à café de poivre concassé,
1 c. à café de sucre,
2 c. à soupe d'huile d'olive, sauce de soja.

● Ecrasez l'ail. Hachez finement les échalotes, la coriandre fraîche, le basilic et les branches de citronnelle. Ajoutez le gingembre râpé. ● Mélangez la viande hachée dans un saladier avec les herbes et les épices. Ajoutez le cumin et la coriandre en poudre, le poivre concassé, le sucre et l'huile. Pétrissez pour bien mélanger tous les ingrédients. ● Partagez en quatre portions. Moulez chaque portion à l'aide d'un ramequin en tassant bien. Démoulez à l'aide d'une fourchette et mettez à cuire sur le barbecue 1 mn de chaque côté. Chacun assaisonnera avec la sauce de soja.

L'accord parfait
VENTOUX ROUGE

Pour accompagner l'explosion de saveurs qui caractérise ce tartare thaï, rien de tel qu'un Ventoux rouge. Doté d'arômes de fruits rouges, assez vif, et plutôt rond en bouche, il combinera toutes les qualités indispensables pour un accord parfait.
Autre proposition : Luberon rouge.

Asia

SEARED THAI TARTAR

Dish 👨‍🍳👨‍🍳

For 5 people

Preparation time: 5 mins/Cooking time: 2 mins

1 1/4 lbs ground beef,
2 cloves of garlic,
2 peeled shallots,
1 bunch of fresh coriander,
2 sticks of Thai or French basil,
3 sticks of fresh lemongrass,
2 teaspoons
of fresh grated ginger,
4 teaspoons of ground cumin,
2 teaspoons of ground coriander,
2 teaspoons of ground pepper,
1 teaspoon of sugar,
2 tablespoons of olive oil, soy sauce.

● Crush the garlic. Finely chop the shallots, the fresh coriander, the basil and the lemongrass sticks. Add the grated ginger. ● Mix the ground meat with the herbs and spices in a bowl. Add the ground cumin and coriander, the ground pepper, the sugar and the oil. Knead to thoroughly mix all the ingredients. ● Separate into four portions. Shape each portion into a ramekin while pressing firmly. Remove from the mould with a fork and cook on the barbecue for 1 min on each side. Each person can season to taste with the soy sauce.

The perfect match
RED VENTOUX

Nothing quite like a red Ventoux to accompany the explosion of flavors so characteristic of Thai tartar. With aromas of red fruit, quite brisk and well rounded, it combines all the qualities needed for a perfect match.
Alternative: red Luberon.

Asie

TENDE DE TRANCHE ET WOK

Plat

Pour 4 personnes

Préparation : 20 mn/Cuisson : 15 mn

3 morceaux épais de tende,
250 g de pois gourmands,
250 g de cocos plats,
150 g de petits pois déjà écossés,
1 piment,
2 gousses d'ail,
4 oignons tiges,
1 noix de gingembre,
huile d'olive, beurre,
1 c. à soupe de graines de sésame grillées,
sel, poivre du moulin.

● Lavez, effilez les pois gourmands et les cocos plats. Faites-les blanchir 5 mn dans de l'eau bouillante salée, puis égouttez-les. ● Emincez le piment en lanières. ● Pelez l'ail et les oignons. Hachez l'ail et émincez les oignons tout en gardant un peu de tige. ● Epluchez le gingembre et râpez-le. ● Faites chauffer un peu d'huile dans un wok et déposez tous les ingrédients (dont les petits pois et le sésame) dedans, sauf la viande. Faites sauter sur feu vif, pendant 5 mn, en remuant de temps en temps. Ajoutez 1/2 verre d'eau et laissez cuire encore 5 ou 6 mn. ● Pendant ce temps, faites cuire la viande dans une autre poêle avec un morceau de beurre, 2 mn de chaque côté, sur feu vif, pour une viande saignante, ou 3 mn pour une viande plus cuite. ● Laissez reposer la viande 5 mn, enveloppée dans du papier alu, avant de la découper. ● Salez et poivrez les légumes, ajoutez la viande coupée en gros morceaux et servez aussitôt.

L'accord parfait
VINSOBRES ROUGE

Cette recette exige un solide vin rouge qui saura épouser la tendresse de la viande et la saveur des haricots, sans se laisser emporter par les aromates. A la fois fruité et bien structuré, le Vinsobres rouge est le vin de la situation.
Autre proposition : Lirac rouge.

Asia

TOP RUMP IN A WOK

Dish

For 4 people

Preparation time: 20 mins/Cooking time: 15 mins

3 pieces of thick top rump,
9 oz of snow peas,
9 oz of mangetouts,
5 oz of shelled green peas,
1 chili pepper,
2 cloves of garlic,
4 scallions,
1 root of ginger,
olive oil, butter,
1 tablespoon of grilled sesame seeds,
salt, ground pepper.

● Wash and trim the snow peas and the mangetouts. Blanche them in salted boiling water for 5 mins and drain. ● Cut the pepper into thin slices. ● Peel the garlic and the onions. Crush the garlic and chop the onions leaving some of the stem. ● Peel the ginger and grate. ● Heat some oil in a wok and put in all the ingredients (including the green peas and sesame seeds) except the meat. Heat over a high flame for 5 mins, stirring from time to time. Add a glass of water and allow to cook for a further 5 or 6 mins. ● Meanwhile, cook the meat in another fry pan with a nob of butter for 2 mins on each side over a high flame if you like it blue or 3 mins for well done. ● Leave it to stand for 5 mins and wrap it in aluminum foil before cutting. ● Add salt and pepper to the vegetables and the meat cut into thick slices, and serve immediately.

The perfect match
RED VINSOBRES

This recipe needs a good solid red wine that is able to match the tenderness of the meat and the taste of the green vegetables without being swamped by the herbs. Both fruity and well structured, the red Vinsobres is the perfect wine for the occasion.
Alternative: red Lirac.

INDEX

Très facile 👨‍🍳   Facile 👨‍🍳👨‍🍳   Plus élaboré 👨‍🍳👨‍🍳👨‍🍳

INDEX

Very easy ♔   Easy ♔♔   Less easy ♔♔♔

Edité par HFA
149, rue Anatole-France
92534 Levallois-Perret Cedex, France
© HFA/ELLE À TABLE, 2009
Hachette Filipacchi Associés est une société du groupe Lagardère Active

Imprimé en Italie par l'imprimeur G. CANALE & C.
10071 Borgaro Torinese

Photograveur : HAFIBA SAS
11, rue de Rouvray, 92200 Neuilly-sur-Seine, France

Achevé d'imprimer en octobre 2009
ISBN : 978-35710-067.1
Dépôt légal : octobre 2009

Traduction anglaise : Mark et Elisabeth Pickup